Tradução, comentários e seleção de contos de
Alexandre Callari

Branca de Neve

Os Contos Clássicos

Vários autores

generale

Presidente
Henrique José Branco Brazão Farinha

Publisher
Eduardo Viegas Meirelles Villela

Editora
Cláudia Elissa Rondelli Ramos

Projeto Gráfico e Editoração
S4 Editorial

Capa
Bruno Zago

Tradução
Alexandre Callari

Preparação de Texto
Bel Ribeiro

Revisão
Heraldo Vaz

Impressão
Prol Gráfica

Copyright © 2012 *by* Editora Évora Ltda.
Todos os direitos desta edição são reservados à Editora Évora.

Rua Sergipe, 401 – Cj. 1.310 – Consolação
São Paulo – SP – CEP 01243-906
Telefone: (11) 3562-7814/3562-7815
Site: http://www.editoraevora.com.br
E-mail: contato@editoraevora.com.br

DADOS INTERNACIONAIS DE CATALOGAÇÃO NA PUBLICAÇÃO (CIP)

C16b

Callari, Alexandre
    Branca de Neve – os contos originais / Alexandre Callari. – São Paulo : Évora, 2012.
    224 p : il.

    Inclui bibliografia.
    ISBN 978-85-63993-31-1

    1. Grimm, Jacob, 1785-1863. Scheeiweisschen. 2. Branca de Neve (Conto). 2. Contos de fadas – História e crítica. I. Título.

CDD- 398.22

Sumário

Prefácio v
Introdução ix

Parte 1 – Os contos

Alemanha (1857) – Pequena Branca de Neve 3
Itália (1634) – A jovem escrava 17
Escócia (1892) – Árvore-Dourada e Árvore-Prateada 25
Itália (1870) – Maria, a madrasta má, e os sete ladrões 31
Itália (1885) – O caixão de cristal 37
Suíça (1856) – A morte dos sete anões 47
Rússia (1833) – A fábula da princesa morta e dos sete cavaleiros 51

Parte 2 – Branca de Neve
na cultura contemporânea

Filmes 73
Teatro 91
Pastiches 93
HQs 97

Parte 3 – Conto inédito

Mundo dos espelhos: lobos, sangue e neve 103

Referências bibliográficas 211

Peter Newell, 1907

Prefácio
*Por Babi Dewet**

Os contos de fadas povoam nossa imaginação desde pequenos. A minha, pelo menos, sim. A maioria das pessoas que cresceu nos anos 1990 foi acostumada e apresentada às versões Disney de contos clássicos existentes há

***Babi Dewet.** Formada em cinema, autora da trilogia *Sábado à noite* e do *blog* babidewet.com, e seu personagem preferido dos irmãos Grimm é Rumpelstiltskin.

décadas, e talvez – só talvez – nem tenha tido a oportunidade de conhecer outras. É bem possível que algumas das informações contidas neste livro possam, por exemplo, chocar a imagem construída da Branca de Neve imaculada, e isso é bom. Aliás, a ideia de discutir e debater versões que foram se modificando culturalmente com o tempo é uma forma clara de deixar sua imaginação fluir ainda mais e, também, de induzir ao estudo sociocultural dos contos, da mentalidade de seus escritores e de todas as gerações históricas que modificaram personagens e de ações boca a boca. Mantenha a mente aberta e prepare-se: algumas dessas histórias vão mexer com você!

Quando pequena, há pelo menos vinte anos, tive o incrível contato com uma caixa de contos escritos pelos irmãos Grimm, que, claro, já continham versões atualizadas e preparadas para crianças curiosas como eu. As figuras eram clássicas, e eu as conhecia de conversas, desenhos e televisão. "Cinderela", "O Alfaiatezinho Valente", "Chapeuzinho Vermelho", "O Pequeno Polegar", "A Bela Adormecida" e... "Branca de Neve e os sete anões". Como criança, minha imaginação logo correu para os desenhos da Disney, que se repetiam incansáveis vezes na minha cabeça, e foi uma enorme surpresa – por isso ainda me lembro – descobrir as sórdidas e macabras diferenças que existiam entre aqueles livros e os desenhos. Na época, sem internet e sem acesso a mais conteúdo, passei a encarar algumas coisas de forma diferente, e isso mudou visivelmente minha perspectiva em relação a romances e contos. E aposto que mudaria também a sua!

Imagine se, quando pequeno, você descobrisse que a Madrasta da Branca de Neve pediu ao caçador não apenas para matá-la, mas também para trazer seu fígado e pulmões e cozinhá-los para o jantar?! Isso é horrível e, certamente, o deixaria chocado.

Branca de Neve é um símbolo de santidade, ingenuidade e beleza. Sempre foi. Talvez, pouquíssimas pessoas da nossa geração – a geração Disney – pensem nela como heroína ou modelo. Com os valores se modificando de uma época para outra, normalmente as mulheres se sentem "Brancas de Neve" quando sofrem injustiças ou querem dar desculpas para um ato totalmente feminino. Temos de admitir! Hoje, encaramos melhor personagens femininos ferozes, que trabalham dupla jornada, cuidam dos filhos e não dependem de ninguém para se sustentar. E Branca de Neve, sendo protegida pelos anões e se escondendo da madrasta, é um pedacinho que mostra uma fraqueza real que nenhuma mulher quer admitir ter.

Branca de Neve nunca sai de moda. Na verdade, contos de fadas nunca saem de moda, e atingem todas as pessoas, independente de época, idade ou classe social. Prova disso é que, agora, muitos anos depois da última superprodução sobre a menina de pele alva como neve, carminada como sangue, e de cabelos negros como ébano, ela volta com tudo aos cinemas e ao conhecimento do povo. Como na história, são personagens difundidas em culturas diferentes e encaradas de formas diversificadas, mas ainda bebendo da mesma fonte: uma fonte histórica que até hoje dá muito pano para manga.

Ao encarar as versões contidas neste livro, com as fantásticas explicações e comentários de Alexandre Callari, o leitor irá compreender um universo totalmente novo desses contos de fadas, no qual nada, praticamente nada, é perfeito, e tudo se renova, modifica e impressiona. Um universo em que os personagens são tratados com mais realidade, a juventude não é algo imaculado e sentimentos como inveja, vaidade e avareza são exaltados.

Lendo a segunda história deste livro, *A jovem escrava*, de Giambattista Basile, encontramos uma figura muito comum ao universo feminino, que é a mulher obcecada, ciumenta e que não dialoga. Apesar da época em que foi escrita (século XV), a crueldade choca, por ser tão atual e marcante, e deixa qualquer leitor estarrecido pelo psicológico da menina. Leia e pense nisso. Assim como nos contos seguintes, a obsessão pela beleza e o ciúme são características fundamentais descritas sobre mulheres – e, provavelmente, não diretamente para elas.

Independente de cada época ou cultura, o bem e o mal são sempre interpretados por figuras femininas – vilãs, heroínas e vítimas –, e só muito tempo depois personagens masculinos deixam de ser meros coadjuvantes, com destaque para o Príncipe e os anões na história de Branca de Neve. Saber e tentar entender o que cada uma dessas histórias queria declamar para sua época é fascinante! Quando os anões são apresentados como ladrões, por exemplo, como se lê na quarta história deste livro, não há ênfase para o lado vilanesco ou de má índole desses personagens masculinos, e quando se espera que um pai seja o salvador de sua filha, constata-se que ele é só mais um instrumento da maldade de outra mulher, o peão de um jogo.

Branca de Neve, Cinderela, Bela Adormecida e Rapunzel são algumas das personagens femininas santificadas, que encontram em seus caminhos uma vilã avarenta e ciumenta que pretende acabar com suas vidas. Isso nos leva a imaginar quantos contos e cantos de menestréis partiram das mesmas fontes e o quanto isso transformou e transforma a cabeça de milhares de jovens até hoje – já que é comprovado que os contos de fadas são os maiores responsáveis pela nossa imaginação e criatividade.

Este é o primeiro livro que conheço que se propõe a apresentar tantas versões e informações, não apenas sobre a personagem, mas também sobre a cultura por trás dos contos de fadas – uma cultura muito atual, diga-se de passagem. Neste livro, o leitor descobrirá quais filmes, seriados, musicais, peças de teatros, músicas e livros sofreram a influência da protagonista, a qual tem sido passada de geração para geração. E você entenderá a vastidão cultural dessa história que ouviu quando criança e por que se lembra tão bem dela até hoje.

E não deixe de ler o último conto, escrito por Callari, organizador deste livro. Se ele fosse um menestrel e cantasse essa história há alguns séculos, o mundo dos contos de fadas teria sido completamente diferente.

Franz Jüttner, 1905

Introdução

Contrário à crença popular, a versão da fábula *Branca de Neve* escrita pelos irmãos Jacob (1785-1863) e Wilhelm Grimm (1786-1859) não é a mais antiga. Os registros que a dupla fez de contos de fadas ganharam força em razão do súbito e inesperado sucesso de seus livros junto ao público e, mais de um século após a publicação da primeira versão, das adaptações feitas por Walt Disney. Hoje, suas histórias são, sem dúvida, as mais populares do gênero, mesmo que sua inspiração tenha vindo de escritores que os antecederam, como o francês Charles Perrault (1628-1703).

A primeira versão registrada de *Branca de Neve* de que se tem conhecimento é *A jovem escrava*, de 1634, também presente neste livro. Embora esse registro date de dois séculos antes daquele feito pelos irmãos Grimm, ele próprio só foi recolhido das tradições orais muitos anos depois de elas já terem chegado à Europa.

Especialistas afirmam que as primeiras versões da maior parte dos contos de fadas que conhecemos surgiram em algum momento do século XII, migrados do Oriente para a Europa, provavelmente vindos da Índia. É improvável que essas histórias tenham tido uma única origem, e é opinião quase unânime no meio acadêmico que foram resultado de uma poligênese. À medida que os contos foram se espalhando, passados de geração a geração, cobrindo grandes distâncias geográficas e rompendo as barreiras das línguas, sofreram inevitavelmente a ação do tempo e a falta de precisão, inerentes a registros orais, o que os levou a alterações significativas entre as dezenas de versões, muitas vezes mais de uma no mesmo país.

Não é preciso grande esforço de imaginação para visualizar os contos sendo transmitidos em tabernas lotadas em noites regadas a vinhos e assados; ou nos lares, contados pelos pais aos seus filhos em torno de uma lareira; ou nas cortes, narrados por contadores de histórias profissionais para nobres entediados; ou, ainda, em uma pletora de situações menos estereotipadas, mas também verossímeis. As narrativas correram toda a Europa e, séculos depois de terem sido introduzidas, começaram a ser registradas.

Esses textos são dotados de inquestionável qualidade artística e considerados marcos literários. A maior parte deles permanece desconhecida da maioria das pessoas. São histórias vindas da Alemanha, Itália, Suíça, Rússia e Escócia que retratam as suas sociedades e o seu pensamento em diferentes épocas. E é impressionante como o comportamento humano presente nelas é universal e atual.

Uma curiosidade é que alguns especialistas defendem a ideia de que as tradições orais que chegaram à Europa e deram origem à fábula da *Branca de Neve* se misturaram com a história de uma personagem real,

Introdução

a nobre Margaret von Waldeneck (1533-1554), que gozou de uma vida ligeiramente similar à da donzela fictícia. Margaret era uma moça de beleza singular, que foi vítima do meio em que vivia, envenenada por conta de questões políticas para não se casar com o Rei Felipe II, da Espanha, monarca que anos depois se tornaria o governante de um dos maiores impérios que o mundo já conheceu.

Na segunda parte do livro, apresentamos um caderno de cultura pop e destacamos algumas das principais manifestações que *Branca de Neve* teve em outras mídias, mostrando a influência e o alcance da fábula no correr do último século. Repassamos as transposições para os cinemas, animações, revistas em quadrinhos, teatro e principais pastiches. Obviamente, tendo em vista a enormidade de adaptações existentes, grande parte do que já foi produzido sobre o tema ficou de fora.

Por fim, o livro fecha com a narrativa *Mundo dos espelhos: lobos, sangue e neve*, uma releitura completamente diferente de tudo o que já foi feito com a personagem até hoje. Um exercício de imaginação concebido para agradar o público contemporâneo.

Boa leitura.
Alexandre Callari
Organizador, tradutor e comentarista desta obra.
Também é professor, autor dos livros *Apocalipse zumbi*
e *Quadrinhos no cinema*, tradutor de *Conan – o bárbaro*
e *Nos bastidores do Pink Floyd*, editor e apresentador
do site Pipoca & Nanquim.

PARTE 1 – OS CONTOS

Carl Offterdinger, 1880

Alemanha (1857)

George Soper, 1915

Pequena Branca de Neve

Irmãos Grimm

Era uma vez, em meio ao inverno, quando flocos de neve caíam como plumas do céu, uma bela rainha, sentada ao pé de sua janela cuja madeira era feita de ébano escuro. Enquanto bordava, ela olhou para os flocos caindo e picou o dedo com sua agulha. Três gotas de sangue se derramaram na neve. O vermelho sobre o branco era tão lindo, que ela pensou: "Se ao menos eu tivesse uma filha tão alva como a neve, tão carmesim como o sangue e tão negra quanto esta moldura!". Algum tempo depois, ela teve uma filha cuja pele era alva como a neve, carminada como sangue e com cabelos tão negros como ébano e, portanto, chamaram-na Pequena Branca de Neve. Mas assim que a criança nasceu, a rainha faleceu.

Um ano depois, o rei casou-se uma segunda vez. Sua esposa era uma mulher muito bela, mas extremamente orgulhosa e arrogante, e não conseguia suportar a ideia de que alguém sobrepujasse sua beleza. Ela possuía um espelho mágico, e diariamente ficava de frente para ele, admirava-se, e dizia:

— Espelho, espelho na parede. Quem nesta terra é a mais bela de todas?

A isto o espelho respondia:

— Tu, minha rainha, és a mais bela de todas.

Então, ela sentia-se satisfeita, pois sabia que o espelho dizia a verdade. Branca de Neve cresceu e se tornou cada vez mais bonita. Aos 7 anos de idade era tão linda como a luz do dia, até mais do que a própria rainha.

Um dia, a rainha perguntou ao espelho:

— Espelho, espelho na parede. Quem nesta terra é a mais bela de todas?

O espelho respondeu:

— Tu, minha rainha, és bela; é verdade. Mas Branca de Neve é mil vezes mais bela que a senhora.

A rainha estremeceu, e ficou verde e amarela de ciúmes. Deste momento em diante, cada vez que olhava para Branca de Neve seu coração disparava, tamanho era o ódio que tinha pela menina. Sua inveja e orgulho cresceram ainda mais, como uma erva daninha no coração, até que ela se tornou incapaz de ter paz, fosse dia, fosse noite.

Enfim, a rainha mandou chamar um caçador e lhe disse:

— Leve Branca de Neve até a floresta. Não quero jamais tornar a vê-la. Mate-a e, como prova de que está morta, traga-me seus pulmões e fígado.

O caçador obedeceu e conduziu Branca de Neve para o interior da floresta. Levou sua faca de caça, e estava pronto para esfaqueá-la no coração, quando ela desandou a chorar, dizendo:

– Ó querido caçador, deixe-me viver! Fugirei para dentro das matas selvagens e prometo nunca mais voltar.

Como era demasiada linda, o caçador apiedou-se e disse:

– Fuja, pobre criança.

Ele pensou: "Os animais selvagens logo irão devorá-la de qualquer modo". Mas, ainda assim, sentiu como se uma rocha tivesse saído de seu coração por não ter precisado assassiná-la.

Naquele momento, um jovem veado passou correndo. O caçador matou-o, tirou seus pulmões e fígado e levou-os para a rainha, como prova da morte de Branca de Neve. O cozinheiro preparou as vísceras com sal, e a Rainha Má comeu tudo, supondo que saboreava os pulmões e fígado de Branca de Neve.

Nesse meio-tempo, a pobre menina estava só e por sua própria conta na grande floresta. Sentia tanto medo, que ficava apenas olhando para todas as folhas nas árvores, sem saber o que fazer. Então, começou a correr. Correu por sobre pedras pontiagudas e espinhos, e animais selvagens saltaram sobre ela, mas não a feriram. Ela correu o mais longe possível que seus pés puderam levá-la e, quando a noite estava para cair, viu uma pequenina casa e nela entrou para descansar.

Dentro da casa, tudo era pequeno, porém muito limpo e arrumado, tanto que ninguém poderia dizer o contrário. Havia uma pequena mesa coberta com uma toalha branca e sete pratinhos, e cada um tinha uma colher, e havia sete garfos e facas, e também sete canecas. Próximo à parede, estavam sete caminhas, todas enfileiradas e cobertas por lençóis alvos.

Como Branca de Neve estava faminta e com sede, comeu alguns vegetais e um pouco de pão servido em cada pratinho e, de cada caneca, bebeu apenas um gole de vinho. Depois, não se aguentando mais de cansaço, foi se deitar em uma cama, mas nenhuma parecia lhe servir – a primeira era muito comprida, a seguinte, curta demais. Finalmente, a sétima tinha a medida correta. Ela permaneceu deitada, confiando seu destino a Deus, e adormeceu.

Após o anoitecer, os donos da casa retornaram. Eram sete anões que escavavam minérios nas montanhas. Eles acenderam suas sete lamparinas e, assim que a casa ficou iluminada, viram que alguém tinha estado lá, pois nem tudo estava conforme haviam deixado ao sair.

O primeiro disse: – Quem se sentou na minha cadeira?

O segundo: – Quem comeu do meu prato?

O terceiro: – Quem comeu meu pão?
O quarto: – Quem comeu meus vegetais?
O quinto: – Quem usou meu garfo?
O sexto: – Quem cortou com a minha faca?
E o sétimo: – Quem bebeu da minha caneca?
Então, o primeiro reparou que sua cama havia sido mexida, e disse: – Quem se deitou na minha cama?
Os outros vieram correndo e gritaram: – Alguém se deitou na nossa também!
E o sétimo, olhando para sua cama, encontrou Branca de Neve deitada e adormecida. Os setes anões vieram todos, e exclamaram cheios de admiração:
– Oh, meu Deus! Oh, meu Deus! – foi o que disseram. – Esta criança é tão bela!
Eles estavam tão felizes, que não quiseram acordá-la, e a deixaram dormir. O sétimo anão teve que dormir com seus companheiros, uma hora com cada um. E assim a noite passou.
Na manhã seguinte, Branca de Neve acordou e, quando viu os sete anões, ficou assustada. Mas eles foram amigáveis e perguntaram:
– Qual é o seu nome?
– Eu me chamo Branca de Neve.
– Como chegou até nossa casa? – os anões perguntaram.
Então ela contou como sua madrasta havia tentado assassiná-la, que o caçador poupara sua vida, e que ela tinha corrido um dia inteiro, antes de finalmente chegar até a casa deles.
Os anões disseram:
– Se você guardar a casa para nós, cozinhar, fizer as camas, lavar, costurar e tricotar, e mantiver tudo limpo e em ordem, então pode ficar conosco, e terá tudo o que quiser.
– Sim – Branca de Neve respondeu. – Aceito com todo o meu coração!
E ela passou a guardar a casa para eles. Toda manhã, eles iam para as montanhas em busca de ouro e minérios e, à noite, quando voltavam, sua refeição tinha que estar pronta. Durante o dia, a menina ficava só.
Os bons anões a advertiram, dizendo:
– Cuidado com sua madrasta. Em breve ela descobrirá que você está aqui. Não permita que ninguém entre.

A rainha, acreditando que comera o fígado e os pulmões de Branca de Neve, só conseguia pensar que era, novamente, a primeira e mais bela de todas as mulheres. Então, postou-se diante do espelho e disse:

– Espelho, espelho na parede. Quem nesta terra é a mais bela de todas?

Ele respondeu:

– Tu, minha rainha, és bela; é verdade. Mas Branca de Neve, morando além das montanhas com os sete anões, é mil vezes mais bela que a senhora.

Aquilo deixou a rainha furiosa, pois sabia que o espelho não mentia, e percebeu que o caçador a enganara, e que Branca de Neve ainda estava viva. Então, pensou e repensou como poderia matar Branca de Neve, pois, enquanto não fosse a mulher mais bela do mundo, sua inveja jamais lhe daria descanso.

Enfim, elaborou algo. Maquiando o rosto, disfarçou-se como uma velha vendedora de quinquilharias, de modo que ninguém pudesse reconhecê-la. Com esse disfarce, foi até a casa dos sete anões. Batendo à porta, gritou:

– Belos produtos à venda, à venda!

Branca de Neve espiou pela janela e disse:

– Bom dia, minha senhora, o que tem para vender?

– Produtos bons e lindíssimos – ela respondeu. – Laços bordados de todas as cores – e a velha mostrou um cinto trançado com seda colorida. – Você gostaria deste?

"Eu posso deixar esta mulher honesta entrar", Branca de Neve pensou antes de destrancar a porta, e então comprou o belo cinto.

A velha falou:

– Criança, como és bela! Venha, deixe-me prender o cinto de forma apropriada.

Branca de Neve ficou diante dela sem nada suspeitar, e deixou que a mulher afivelasse o cinto, mas ela apertou-o tão rápido, e com tanta força, que a menina, sem conseguir respirar, perdeu os sentidos.

– Você era a mais bela! – disse a velha, e fugiu apressadamente.

Pouco depois, ao cair da noite, os anões voltaram para casa. Ficaram apavorados ao ver sua querida Branca de Neve estendida no chão, rígida, como se estivesse morta! Eles a ergueram e, ao ver que ela estava sendo pressionada pelo cinto, cortaram-no ao meio. Então, Branca de Neve começou a respirar e, pouco a pouco, voltou a si.

Quando os anões escutaram o que tinha acontecido, lhe disseram:

– Aquela velha era, sem dúvida, ninguém senão a terrível rainha. Tenha cuidado, e não deixe mais ninguém entrar quando não estivermos com você.

Quando a Rainha Má chegou ao castelo, correu ao espelho e perguntou:

– Espelho, espelho na parede. Quem nesta terra é a mais bela de todas?

O espelho novamente respondeu:

– Tu, minha rainha, és bela; é verdade. Mas Branca de Neve, morando além das montanhas com os sete anões, é mil vezes mais bela que a senhora.

Ao escutar aquilo, a rainha sentiu o sangue ferver, pois soube que Branca de Neve ainda vivia.

– Desta vez, pensarei em algo que irá destruí-la – disse a rainha.

Então, fazendo uso de bruxaria, ela preparou um pente envenenado. Depois, disfarçou-se, assumindo a forma de uma velha diferente da anterior. Assim, cruzou as sete montanhas em direção à casa dos sete anões e bateu na porta, gritando:

– Belos produtos à venda, à venda!

Branca de Neve olhou e disse:

– Siga vosso caminho. Não posso deixar ninguém entrar.

– Mas você pode, com certeza, olhar – disse a velha, tirando o pente envenenado e segurando-o no alto. A jovem gostou tanto dele que se deixou enganar e abriu a porta.

Após terem acertado a compra, a velha disse:

– Agora, permita que eu penteie seus cabelos da forma como se deve.

Ela mal havia tocado os cabelos de Branca de Neve com o pente, quando o veneno fez efeito e a garota caiu no chão, inconsciente.

A Rainha Má resmungou antes de ir embora:

– Você, exemplo de beleza, agora está acabada!

Felizmente já era quase noite, e os anões voltaram para casa. Quando viram Branca de Neve caída no chão como se estivesse morta, desconfiaram imediatamente da madrasta. Eles a examinaram e encontraram o pente envenenado. Assim que o removeram, Branca de Neve voltou a si e contou o que acontecera. Novamente eles a preveniram para que permanecesse alerta e não abrisse a porta para ninguém.

De volta ao castelo, a rainha, diante do espelho, disse:

– Espelho, espelho na parede. Quem nesta terra é a mais bela de todas?

O espelho respondeu:

– Tu, minha rainha, és bela; é verdade. Mas Branca de Neve, morando além das montanhas com os sete anões, é mil vezes mais bela que a senhora.

Ao ouvir as palavras do espelho, ela estremeceu de raiva.

– Branca de Neve tem que morrer, mesmo que isso custe minha própria vida! – ela gritou.

Então, foi ao seu quarto mais secreto – ninguém mais podia entrar lá –, onde criou uma maçã muito venenosa. Por fora era linda, com a casca vermelha, e qualquer pessoa que a visse a desejaria. Mas todo aquele que mordesse um pedaço, morreria. Então, a rainha maquiou o rosto, disfarçando-se de camponesa, e cruzou as sete montanhas para ir à casa dos sete anões. Ela bateu à porta.

Branca de Neve esticou a cabeça para fora da janela e disse:

– Não posso deixar ninguém entrar. Os anões me proibiram.

– Tudo bem – respondeu a camponesa. – Irei facilmente me desfazer de minhas maçãs. Veja, permita-me lhe dar uma de presente.

– Não, não posso aceitar coisas – Branca de Neve respondeu.

– Temes que ela esteja envenenada? – indagou a velha – Olha, vou cortá-la ao meio. Você come a metade mais vermelha e eu a esbranquiçada.

A maçã tinha sido tão habilmente preparada, que somente a parte vermelha estava envenenada. Branca de Neve ansiava pela bela maçã e, ao ver que a camponesa estava comendo sua parte, não conseguiu resistir, e estendeu a mão, apanhando a metade envenenada. Ela mal havia dado a primeira mordida e caiu no chão, morta.

A rainha olhou para ela com ar feroz, riu alto e exclamou:

– Branca como a neve, rosada como o sangue e negra como ébano! Desta vez os anões não poderão despertá-la!

De volta ao castelo, perguntou ao espelho:

– Espelho, espelho na parede. Quem nesta terra é a mais bela de todas?

Ele finalmente respondeu:

– Tu, minha rainha, és a mais bela de todas.

Então, seu coração invejoso pôde descansar.

Quando os anões regressaram para casa à noitinha, encontraram Branca de Neve deitada no chão. Ela não respirava. Eles a levantaram e procuraram por algo venenoso. Desabotoaram-lhe o vestido. Pentearam seus cabelos. Lavaram-na com água e vinho. Mas nada adiantou. A querida menina estava morta, e assim permaneceu. Então, a colocaram em um esquife, e todos os sete se sentaram próximos a ela e lamentaram, chorando durante três dias. Eles iam enterrá-la, contudo, ela ainda parecia tão fresca quanto uma pessoa viva, e conservava as bochechas rosadas.

Então, disseram:

– Não podemos enterrá-la na terra negra.

Fabricaram um caixão de vidro transparente, para que ela pudesse ser vista por todos os lados. Puseram-na dentro e, com letras douradas, escreveram seu nome, identificando-a como uma princesa. Depois, colocaram o caixão do lado de fora, no topo de uma montanha, e um deles sempre ficava ao seu lado para guardá-lo. Os animais também vieram para velar por ela, primeiro uma coruja, depois um corvo, e finalmente uma pomba.

Branca de Neve ficou dentro do esquife durante um longo, longo tempo, e não se deteriorou. Parecia apenas estar adormecida, pois sua pele continuava alva como a neve, a boca rosada pelo sangue, e os longos cabelos pretos como ébano.

Certo dia, um príncipe adentrou aquelas matas e encontrou, por acaso, a casa dos anões, onde buscou abrigo para passar a noite. Ele viu o caixão nas montanhas com a bela Branca de Neve dentro, e leu o que estava gravado sobre ele com letras douradas.

Mais tarde, disse aos anões:

– Deixem-me ficar com o esquife. Eu darei qualquer coisa que quiserem em troca.

Mas os anões responderam:

– Não. Não o venderíamos nem por todo ouro do mundo.

O príncipe retrucou:

– Então, dê-me de presente, pois já não posso viver sem poder ver Branca de Neve. Irei honrá-la e respeitá-la como se fosse o ser mais amado deste mundo.

Ao ouvirem aquelas palavras, os anões sentiram pena e lhe deram o caixão. O príncipe pediu que seus criados o carregassem nos ombros. Contudo, aconteceu de um deles tropeçar em um arbusto e o solavanco fez com que o bocado que Branca de Neve havia dado na maçã envenenada se desalojasse de sua garganta. Pouco depois, ela abriu os olhos, levantou a tampa do caixão, sentou-se e viveu novamente.

– Meu Deus, onde estou? – ela exclamou.

O príncipe respondeu radiante:

– Estás comigo.

Contou-lhe o que havia acontecido, e depois disse:

– Eu amo você mais do que tudo no mundo. Venha comigo ao castelo de meu pai. Você será minha esposa.

Branca de Neve encantou-se com ele e o seguiu. O casamento foi planejado com grande esplendor e suntuosidade.

A madrasta de Branca de Neve também foi convidada para a cerimônia. Após vestir seus trajes mais ricos, ficou diante do espelho e perguntou:

– Espelho, espelho na parede. Quem nesta terra é a mais bela de todas?

O espelho respondeu:

– Vós, minha rainha, sois bela; é verdade. Mas a jovem rainha é mil vezes mais bela que a senhora.

A perversa mulher berrou uma maldição, e ficou tão exasperada que não sabia o que fazer. A princípio, não queria ir ao casamento, mas foi incapaz de ficar em paz. Ela tinha que ir e ver a jovem rainha. Quando chegou e reconheceu Branca de Neve, ficou tão aterrorizada que não conseguiu sequer se mover.

Então, sob as ordens do príncipe, os criados colocaram um par de sapatos de ferro em um braseiro incandescente, os quais foram trazidos com tenazes e colocados diante dela. Ela foi forçada a calçá-los e a dançar até cair morta.

Comentários

Os irmãos alemães Jacob e Wilhelm Grimm publicaram a primeira versão da fábula *Branca de Neve* em 1812, no livro *Kinder und Hausmärchen* (comumente traduzido como *Contos da criança e do lar*). A obra, uma coletânea de diversos registros orais passados de geração a geração desde meados do século XII em toda a Europa, é o resultado de anos de trabalho e pesquisa de ambos, que, além de estudiosos de folclore, eram também grandes pesquisadores da sua língua materna (o sonho dos irmãos Grimm era publicar o *Grande dicionário da língua alemã*) e especialistas em Direito.

Essa primeira versão de 1812 diferia bastante da que você acabou de ler e era, muito provavelmente, mais fiel às tradições orais. A opção de editar aqui um registro posterior ao original se deve ao fato de procurar um texto que guardasse mais similaridades com a história que o grande público conhece, principalmente por conta da bem-sucedida animação produzida por Walt Disney, em 1937, cuja influência se mantém até os dias de hoje.

A versão utilizada neste livro é uma edição de 1857 de *Kinder und Hausmärchen*, que já havia sofrido quase todas as alterações que os autores pretendiam e contém uma interessante história de bastidores.

Quando lançaram seu livro em 1812, os irmãos Grimm escreveram-no para um público seleto, supondo que quem teria interesse em consumir a obra seriam estudiosos e escolásticos. Tanto assim que a primeira edição teve uma tiragem de apenas 900 cópias, e vinha repleta de anotações, referências e notas de rodapé explicativas, com uma linguagem claramente acadêmica. Porém, a surpresa ocorreu quando a obra começou a ser comprada por pais que queriam lê-la para seus filhos.

O inesperado sucesso junto ao público fez com que uma nova edição fosse lançada pouco depois, já dando início ao processo de supressão de conteúdos que a dupla de escritores julgava inadequados para ser exposto às crianças, e que prosseguiu até a última edição publicada (em vida, eles editaram sete versões diferentes do seu livro). De todas as alterações feitas, a mudança mais contundente diz respeito à troca da personagem antagonista.

Na primeira versão (e também em um manuscrito jamais publicado, datado de 1810, encontrado após a morte dos autores), quem inflige todo sofrimento a Branca de Neve é sua própria mãe, que padece de uma incontrolável inveja da garota. Já na primeira revisão do texto, os Grimm decidiram trocar a imagem da mãe pela da madrasta.

A explicação é simples: ao matar a mãe de Branca, eles a colocam em uma posição santificada, um pedestal intocável, uma imagem a ser preservada, respeitada e adorada. Ela não pode atuar para ajudar sua filha, mas seu estigma serve como inspiração, um porto seguro em uma ilha de tribulações. Na vida, como todos bem sabem, preto no branco não existe, e há mães adotivas boas, assim como mães biológicas más; mas é certo presumir que os autores quiseram fugir a essa variável e preservar a imagem da instituição família – tão importante para os leitores do século XIX.

Outra mudança muito contundente ocorre no despertar de Branca de Neve. Na versão apresentada neste livro, ela acorda quando um servo tropeça e derruba o caixão, deslocando assim o pedaço de maçã envenenado de sua garganta. Mas, no original de 1812, a passagem é bem diferente:

O príncipe pediu que o caixão fosse levado ao castelo e colocado em uma sala, onde se sentava à sua frente o dia inteiro, e jamais tirava seus olhos dele. Sempre que ele tinha que sair e não podia ver Branca de Neve, entristecia-se. E não conseguia comer, a não ser que o caixão estivesse próximo de si. Os servos, que sempre tinham de carregar o caixão para todos os lugares, começaram a ficar zangados. Em uma ocasião, um deles abriu o caixão, endireitou Branca de Neve, e disse: "Nós somos amaldiçoados o dia inteiro só por sua causa, menina morta", e deu um tapa no rosto dela. Então, o terrível pedaço da maçã que ela tinha mordido saiu de sua garganta e Branca de Neve voltou à vida.

Embora a solução original seja muito mais interessante que as adaptações posteriores, novamente a mudança é explicável: sem dúvida, os irmãos Grimm não quiseram propagar um modelo de comportamento no qual um servo se insurgia contra seu senhor a ponto de esbofetear seu objeto de adoração. Tal comportamento não era aceitável para os padrões da época, e deveria ser suprimido, não estimulado.

Branca de Neve é uma história sobre vaidade, mas, acima de tudo, sobre o caro preço a ser pago por colocar suas paixões acima de todas as outras coisas. As metáforas estão presentes a todo momento, expressas de maneira sutil, como, por exemplo, na cor vermelha da maçã (vermelho é a cor do pecado), que instiga a menina a mordê-la – lembrando que o branco mordido pela madrasta era seguro –, ou escancaradas, como no brutal destino da madrasta, quando ela é obrigada a vestir calçados incandescentes e dançar até a morte, uma imagem forte e cheia de significado. A madrasta rende-se às suas paixões e causa o mal aos que estão ao seu redor. A recompensa é que sua paixão a destrói.

O elemento mágico da fábula é exposto na figura do espelho. Sua palavra é suprema e inconteste. A madrasta a aceita, sem ponderar a relatividade expressa no conceito "beleza" (o que é belo para uns, pode não ser para outros). O leitor, envolvido pela narrativa, também não questiona a sabedoria do espelho e "compra" sua opinião tal qual a madrasta. A inocência de Branca de Neve sofre pela arbitrariedade dos conceitos, à medida que o ciúme da Rainha Má cresce a ponto de desejar sua morte. Os atributos exteriores são glorificados em detrimento dos interiores, com resultados funestos. A moralidade é insidiosa.

A madrasta ordena que o caçador mate Branca e lhe traga seus pulmões e fígado como prova. Observam-se dois fatos interessantes nesta passagem. O caçador, embora poupe a vida da menina e se sinta aliviado ao fazê-lo – o que pode até sugerir, erroneamente, que ele é um homem íntegro –, não hesita em abandoná-la à própria sorte na floresta, o que denota, na verdade, ser ele um grande covarde, mais preocupado em limpar as mãos do que tomar uma atitude proativa para ajudá-la. A madrasta, por sua vez, pede que os pulmões e fígado, que ela pensa ser da menina, sejam cozinhados, e os come com sal. A ação antropofágica mimetiza princípios encontrados em culturas primitivas, cujo objetivo é absorver tudo o que o outro é e tem a oferecer. Este é o desejo último da madrasta: ao devorar Branca de Neve, ela não quer se tornar apenas a mais bela, mas também absorver a pureza, inocência, doçura, gentileza e todas as demais qualidades da menina que a tornam tão amada por todos.

É interessante notar que, embora Branca de Neve seja a protagonista, seu modelo não é o de uma figura forte e decidida, mas de alguém que sofre as consequências por conta das decisões dos outros, e é sujeita ao jugo do destino sem oferecer resistência. O máximo de proatividade que encontramos de sua pessoa é quando implora pela própria vida ao caçador. Este modelo de subserviência feminina encontrado nesta fábula (e em outras) tinha, com certeza, o objetivo de refrear o comportamento das donzelas da época. Seu expoente máximo pode ser observado quando Branca vai morar com os anões e, em troca dos serviços domésticos que executa "com todo o seu coração", passa a viver sob a proteção deles. A mensagem é clara: se a mulher desempenhar as funções que se espera dela, será recompensada com a proteção e a vida que precisa.

Essa ideia é extensiva à figura do Príncipe. Sua chegada providencial corresponde ao grande êxito do personagem masculino, o protetor que traz consigo todas as respostas, oferece segurança e salvação, inspira felicidade e uma vida plena, deixando para trás todo sofrimento e angústia. Sua presença é tão marcante, que é ele quem leva justiça à causadora de todo o mal, quando condena a madrasta por suas ações ímpias contra Branca e lhe impõe seu castigo. É a glorificação do bordão "e viveram felizes para sempre", coroado pela força patronal do homem. Precisamente os valores que a sociedade burguesa e cristã da época queria propagar.

As três tentações às quais a menina cede quando visitada pela velha bruxa também encerram em si importante significado. São todas objeto da vaidade feminina e manifestações claras do desejo de ter da personagem. Ao ceder aos seus impulsos, Branca sofre graves consequências, o que mais uma vez demonstra o modelo comportamental que a fábula pretende passar. A vida simples é incentivada, o martírio e a subserviência recompensados, o desejo e as paixões, condenados.

Itália (1634)

Franz Jüttner, 1905

A jovem escrava

Giambattista Basile

—É muito verdade – disse o príncipe – que todo homem deve trabalhar em sua própria arte, o senhor como senhor, o camareiro como camareiro, e o policial como policial; e tal qual um pedinte se torna ridículo quando toma para si o semblante e os ares de um príncipe, o mesmo ocorre com o príncipe caso decida atuar como pedinte – e, voltando-se para Paola, acrescentou: "Começa teu relato", e ela, apertando seus lábios e coçando a cabeça, começou a narrar:

– Ciúme é um mal terrível, e (é verdade dizer) é uma vertigem que modifica o cérebro, uma febre queimando nas veias, um golpe súbito que paralisa os membros, uma disenteria que afrouxa o corpo, uma doença que rouba o sono, deixa a comida amarga, enevoa a paz, abrevia os dias; é um veneno que corrói, uma traça que rói, fel que deixa amargo, neve que congela, um prego que perfura, um separador das graças do amor, um divisor de matrimônios, um cão que traz a desunião a toda felicidade de amar; é um torpedo contínuo no mar de prazeres de Vênus, que jamais fez uma ação correta ou boa, tal qual todos poderão atestar ao escutar a história que hei de lhes contar.

Nos dias de antigamente, em tempos já há muito idos, havia um barão de Serva-scura que tinha uma jovem irmã, uma rapariga de rara beleza, que costumava sempre ir brincar no jardim na companhia de outras donzelas de sua idade. Um dia, elas encontraram uma adorável rosa em pleno desabrochar, então fizeram uma aposta: quem conseguisse saltá-la sem tocar em uma única pétala ganharia algo. Porém, embora muitas garotas pulassem como sapos por cima da flor, todas a tocavam, e nenhuma conseguia um salto perfeito. Até chegar a vez de Cilla (a irmã do barão). Ela recuou um pouco e deu tamanha corrida que conseguiu pular perfeitamente a rosa. Somente uma única pétala caiu no chão, mas ela foi tão rápida e de tal prontidão, que a apanhou sem que ninguém reparasse e a engoliu, ganhando, assim, o prêmio.

Não menos que três dias depois, Cilla sentiu que estava grávida, e quase morreu de pesar, pois bem sabia que não fizera nada comprometedor ou desonesto, e não conseguia entender como era possível que sua barriga inchasse. Recorreu imediatamente a algumas fadas que eram suas amigas; quando escutaram a história, disseram que não havia dúvidas de que ela carregava uma criança da pétala de rosa que havia engolido.

Ao entender isso, Cilla tomou precauções para esconder sua condição o máximo possível, e quando chegou o momento de parir, ela deu à luz às escondidas uma adorável garotinha, seu rosto como a Lua em sua décima quarta noite. Chamou-a Lisa e a enviou para as fadas para ser consagrada. Cada uma delas lhe concedeu um encanto, porém, a última escorregou e torceu o pé tão feio enquanto corria para ver a criança, que em sua dor aguda lançou-lhe uma maldição, que dizia que, quando tivesse sete anos de idade, sua mãe, ao pentear seus cabelos, esqueceria o pente preso em suas tranças, e isso levaria a menina à morte.

Ao término de sete anos, o desastre ocorreu, e a mãe desesperada, lamentando-se amargamente, colocou o corpo dentro de sete caixões de cristal, um dentro do outro, e a deixou em um cômodo distante do palácio, mantendo a chave em seu poder. Entretanto, após um período, a tristeza levou-a ao túmulo.

Quando percebeu que seu fim se aproximava, ela chamou seu irmão e lhe disse:

— Meu irmão, sinto o gancho da morte arrastando-me para longe, polegada por polegada. Deixo a você todos os meus pertences para dispor da forma como bem entender; mas preciso que me prometa jamais abrir o último quarto desta casa, e sempre manter a chave a salvo neste estojo.

O irmão, que a adorava acima de todas as coisas, deu-lhe sua palavra; no mesmo instante ela suspirou:

— *Adieu*, pois os grãos estão maduros.

Após alguns anos, este senhor (que nesse ínterim havia se casado) foi convidado para uma caçada. Ele deixou os cuidados da casa para sua mulher, e lhe implorou que, acima de tudo, não abrisse o quarto, cuja chave ele mantinha no estojo. No entanto, assim que virou as costas, ela começou a ter suspeitas e, compelida pelo ciúme e consumida por curiosidade, que é o primeiro atributo das mulheres, apanhou a chave e foi abrir a porta. Lá, encontrou uma jovem garota, claramente visível dentro dos caixões de cristal, então os abriu um a um e descobriu que ela parecia estar adormecida. Lisa havia crescido como nenhuma outra mulher, e os caixões tinham se alongado com ela, mantendo o ritmo conforme ela crescia.

Ao contemplar aquela adorável criatura, a ciumenta mulher pensou de imediato: "Por minha vida, esta é uma coisa bela! Bravo, meu senhor; chaves na cintura, um aríete no interior! Este é o motivo pelo qual ele jamais deixou alguém abrir esta porta e ver o Maomé que adora dentro desses caixões".

Ao dizer isso, ela puxou a garota pelo cabelo, arrancou-a para fora e, ao fazê-lo, acabou derrubando o pente, de forma que a adormecida Lisa acordou, gritando:

— Mãe, mãe!

— Eu vou lhe dar mãe, e pai também! — bradou a baronesa, que era tão amarga quanto uma escrava, tão raivosa quanto uma cadela com uma ninhada de filhotes e tão venenosa quanto uma cobra. Ela imediatamente cortou os cabelos da garota e a espancou com as tranças, vestiu-a com trapos, e todos os dias distribuía golpes em sua cabeça e ferimentos no rosto, arroxeando seus olhos e fazendo com que sua boca parecesse como se tivesse comido pombos crus.

Quando seu marido retornou da caçada e viu a garota sendo tratada tão mal, perguntou quem era ela. A esposa respondeu que era uma escrava enviada por sua tia, que só servia para os propósitos da corda e que merecia apanhar para sempre.

Porém, aconteceu de certo dia o barão ter que ir a uma feira, e perguntar a todos na casa, do mais alto ao mais baixo e não deixando de fora nem mesmo os gatos, o que queriam que ele comprasse, e quando todos já tinham escolhido, cada qual uma coisa diferente, ele afinal se voltou para a escrava.

Mas sua esposa encheu-se de ódio e agiu de forma impensável para uma cristã, dizendo:

— É isso, iguale a todos os outros essa escrava de lábios grossos, permita que todos os demais sejam nivelados por baixo e que todos usem o urinol. Não preste atenção a tal rameira sem valor; que ela vá para os diabos.

Mas o barão, de maneira gentil e cortês, insistiu para que a escrava também pedisse algo. E ela lhe disse:

— Não quero nada além de uma boneca, uma faca e uma pedra de amolar; e se você se esquecer, que não seja capaz de cruzar o primeiro rio que encontrar em sua jornada.

O barão comprou todas as outras coisas, mas esqueceu bem aquelas que sua sobrinha havia pedido; então, ao chegar a um rio, este cuspia pedras e carregava árvores até a margem, o que estabeleceu as fundações do medo e ergueu uma parede de temor, a ponto de ele julgar impossível atravessá-lo. Então, lembrou-se do feitiço lançado sobre si pela escrava, e deu meia-volta para comprar os três artigos que ela havia escolhido. Quando chegou à casa, distribuiu a cada um aquilo que haviam pedido.

Quando Lisa recebeu o que queria, foi até a cozinha e, colocando a boneca diante de si, começou a chorar e lamentar, e recontou toda a história de seus problemas para aquele embrulho de pano, como se fosse uma pessoa de verdade. Quando a boneca não respondeu, a garota apanhou a faca e afiou-a na pedra de amolar, dizendo:

— Se você não me responder, irei enfiar esta faca em mim e colocar um fim ao jogo!

E a boneca, inchando como um saco ao ser soprado, respondeu enfim:

— Tudo bem, eu entendi! Não sou surda!

Aquilo continuou por alguns dias, até que o barão, que estava pendurando um de seus retratos próximo à cozinha, calhou de escutar o choramingo e falatório da jovem escrava e, querendo ver com quem ela conversava, colocou o olho no buraco da fechadura. Ele viu Lisa relatando à boneca sobre o pulo de sua mãe por cima da rosa, como ela a engoliu, seu próprio nascimento, o feitiço, a maldição da última fada, o pente deixado em seus cabelos, sua morte, como ela fora fechada nos sete caixões e colocada dentro daquele quarto, a morte de sua mãe, a chave confiada ao irmão, sua partida para a caçada, o ciúme da esposa, como ela abriu o quarto contra as ordens do marido, a forma como cortara seus cabelos e a ameaçara como uma escrava, e os muitos tormentos que lhe havia infligido.

E todo o tempo ela chorava e dizia:

— Responda-me boneca, ou irei me matar com esta faca.

E, afiando-a na pedra de amolar, ela a teria enfiado em si mesma se o barão não tivesse chutado a porta e arrancado a lâmina de suas mãos.

Ele pediu que ela contasse a história novamente de forma mais completa, e então a abraçou, reconhecendo sua sobrinha, e a levou embora daquela casa, deixando-a sob os cuidados de um de seus parentes para que melhorasse, pois o duro tratamento imposto pelo coração de uma Medeia a tinha deixado magra e pálida. Após vários meses, quando ela havia se tornado tão linda quanto uma deusa, o barão a trouxe para casa e contou a todos que ela era sua sobrinha. Ele pediu um grande banquete, e quando a mesa foi retirada, pediu que Lisa relatasse a história das dificuldades que passara e da crueldade da baronesa — um conto que fez todos os convidados chorar. Então ele mandou sua esposa embora, enviando-a de volta para seus pais, pois, por causa do seu ciúme e inveja, ela não era mais digna de estar ao seu lado; e após certo tempo, ele deu à sua sobrinha um lindo e digno marido de sua escolha. Diante de tudo isso, Lisa disse:

— Quando um homem menos espera bens de qualquer tipo, os céus irão polvilhá-lo com sua graça.

Comentários

Esta é a primeira transcrição conhecida da fábula Branca de Neve, feita por Giambattista Basile (1575-1632), conde de Torrone, título que recebeu após sua morte. Publicada postumamente em 1634, no livro *Il pentamenore* (*O pentamerão*), *A jovem escrava* é um dos cinquenta contos que compõem o volume que foi editado pela irmã do escritor, Adriana Basile. Previsto inicialmente para ser chamado de *Lo cunto de li cunti* (*O conto dos contos*), o nome do livro foi alterado por sugestão do editor na época, que queria criar uma identificação com outro livro de sucesso, *O Decamerão*, de Giovanni Boccaccio, que tinha uma estrutura narrativa similar.

O pentamerão reúne cinquenta contos, narrados por diferentes personagens ao longo de um período de cinco noites. O príncipe e Paola, que aparecem no primeiro parágrafo do texto, são justamente alguns dos personagens que participam ativamente da narrativa. *A jovem escrava* faz parte da coleção de contos narrados durante a segunda noite.

Embora seja o primeiro registro conhecido da fábula *Branca de Neve* e também de outros contos de fadas famosos, como *Rapunzel* e *Cinderela*, tendo inclusive precedido Perrault em 50 anos e os irmãos Grimm em dois séculos, há certa discordância sobre o fato de o livro de Basile ter realmente influenciado os demais trabalhos europeus.

Isto porque *O pentamerão* foi publicado inicialmente em Nápoles, num dialeto napolitano e, durante quase 200 anos, não foi traduzido para nenhuma outra língua ou viajou para fora de sua região de origem. Essa limitação espacial e o período de tempo no qual o texto foi ignorado por escribas e tradutores representam uma séria dúvida para os especialistas, que não conseguem determinar a carga de influência que o livro pode ter tido.

Acredita-se que Basile tenha recolhido as versões de suas fábulas em Creta e Veneza, e apesar de isso ser citado comumente em biografias do escritor, não há fontes concretas que corroborem a afirmação.

A versão que é reproduzida aqui foi traduzida por *sir* Richard Burton, em 1893.

A jovem escrava já começa definindo qual será o objeto de crítica do texto: o ciúme! Este contundente aspecto é o ponto de conexão entre todas as versões de Branca de Neve (por mais que sejam separadas pelo espaço e tempo) e, provavelmente, sua única constante. Ainda assim, é possível observar alguns outros pontos em comum com as demais versões. Por exemplo, o número sete, quase cabalístico no histórico da fábula, aparece aqui na forma dos caixões de cristal (na numerologia, o sete é considerado o número perfeito: os dias de criação do mundo na Bíblia, dias da semana, notas musicais, os arcanjos do trono de Deus, os chakras do corpo humano, etc.); também o pente envenenado se faz presente, assim como o sono forçado da protagonista. Este último, inclusive, é objeto de uma interessante proposição: ao ler a fábula original, nota-se que ela guarda imensa semelhança com outro conhecido conto de fadas: *A bela adormecida*. É possível que, em sua origem, as duas histórias tenham sido a mesma, que se desmembraram e tomaram corpo e forma diferentes à medida que foram espalhadas oralmente por toda a Europa.

O martírio é um dos temas mais fortes da história. Lisa sofre durante anos sem qualquer motivo, suportando toda a dor que lhe é infligida – um pensamento tipicamente cristão, encontrado no próprio exemplo de Cristo: a dor trará absolvição. É claramente uma forma de passar uma mensagem e manter conformadas as camadas menos privilegiadas da sociedade, conduzindo-as a crer que, não importa o quanto a vida seja dura, a recompensa virá. No entanto, embora apresente este e outros temas cristãos de forma bastante contundente, em um enorme contrassenso, no final da história a protagonista ameaça cometer suicídio – uma atitude que vai contra todas as crenças cristãs. Dentro das mesmas crenças nas quais é construída a história, se esta ação da protagonista tivesse sido concretizada, sua alma estaria supostamente condenada ao inferno.

Mas não se pode negar que esta curiosa dicotomia enriquece a narrativa e acrescenta uma alta dose de dramaticidade. Não é difícil imaginar o impacto que causava aos ouvintes da época. E também não altera a lição de moral oferecida no final do conto: a perseverança será recompensada pela graça de Deus.

É interessante notar que nesta antiga versão, diferente da maioria que veio depois, salvo raras exceções, o mal fica sem punição – como se isto não fosse de fato importante. É verdade que a esposa do tio de Lisa é mandada embora, de volta à sua família, mas sem sofrer qualquer forma de justiça pelos horrores despropositados que cometeu contra a jovem. Foi somente anos depois, em versões posteriores, que as ações da madrasta começaram a receber a devida retaliação.

Escócia (1892)

Theodor Hosemann, 1852

Árvore-Dourada
e Árvore-Prateada

Joseph Jacobs

Era uma vez, um rei que tinha uma esposa cujo nome era Árvore-Prateada, e uma filha cujo nome era Árvore-Dourada. Certo dia, Árvore-Dourada e Árvore-Prateada foram a um vale estreito onde havia uma nascente, e nela havia uma truta.

Árvore-Prateada falou:

— Pequena truta, minha amiguinha, eu sou a rainha mais bonita do mundo?

— Oh! Decerto não és.

— Quem, então?

— Árvore-Dourada, sua filha.

Árvore-Prateada voltou para casa cega de ódio. Deitou-se na cama e jurou que jamais descansaria enquanto não obtivesse o coração e o fígado de sua filha, Árvore-Dourada, para comer.

Ao cair da noite, o rei voltou para casa e recebeu a notícia de que sua esposa estava muito doente. Ele foi até onde ela estava e perguntou o que havia de errado.

— Só há algo que pode fazer para me curar, se assim quiser.

— Oh, não há nada no mundo que eu possa fazer por você que não faria.

— Se eu tiver o coração e o fígado da minha filha para comer, ficarei bem.

Acontece que, nessa época, o filho de um grande rei havia vindo do exterior para pedir Árvore-Dourada em casamento. O rei concordou, e o casal foi para o exterior.

Um ano depois do ocorrido, Árvore-Prateada foi até o vale, onde havia a nascente na qual vivia a truta.

— Pequena truta, minha amiguinha, eu sou a rainha mais bonita do mundo?

— Oh! Decerto não és.

— Quem, então?

— Árvore-Dourada, sua filha.

— Bem, já faz tempo que ela não está mais entre os vivos. Há um ano eu comi seu coração e fígado.

— Oh! É seguro que ela não está morta. Ela se casou com um grande príncipe de outro país.

Árvore-Prateada voltou para casa e implorou que o rei preparasse o grande navio, e disse:

— Vou visitar minha querida Árvore-Dourada, pois faz muito tempo desde que a vi pela última vez.

O grande navio foi preparado e eles zarparam.

Foi a própria Árvore-Prateada quem se manteve ao leme, e dirigiu tão bem a embarcação, que levou pouco tempo para que chegassem.

Árvore-Dourada e Árvore-Prateada

O príncipe estava fora, caçando nas colinas. Árvore-Dourada sabia que o grande navio do seu pai estava chegando, então disse a seus servos:

— Oh, minha mãe está vindo. E ela vai me assassinar.

— De forma alguma ela a matará; nós trancaremos você em uma sala onde ela não poderá se aproximar.

E assim foi feito; e quando Árvore-Prateada ancorou, começou a gritar:

— Venha encontrar sua própria mãe quando ela vem visitá-la.

Árvore-Dourada disse que não podia, que estava trancada naquela sala, e não podia sair de lá.

Sua mãe perguntou:

— E você não colocaria seu pequenino dedo no buraco da fechadura para que sua mãe possa lhe dar um beijo?

Quando a garota colocou o dedinho, Árvore-Prateada enfiou uma agulha envenenada nele, e Árvore-Dourada caiu morta.

Quando o príncipe retornou e encontrou Árvore-Dourada morta, mergulhou em grande tristeza e, ao ver o quanto era bonita, não teve coragem de enterrá-la, mas trancou-a em uma sala onde ninguém pudesse se aproximar.

Com o passar do tempo, ele se casou novamente, e a casa inteira pertencia à sua nova esposa, exceto aquele único quarto, do qual ele mesmo se mantinha longe. Certo dia, o príncipe se esqueceu de levar a chave consigo, e sua segunda esposa entrou no quarto. O que viu lá dentro era a mulher mais bela na qual já tinha colocado os olhos.

Ela começou a tentar acordá-la, e notou que havia uma agulha envenenada em seu dedo. Ela removeu a agulha, e Árvore-Dourada acordou novamente, tão linda como sempre fora.

Quando a noite chegou, o príncipe retornou ao lar, vindo de uma caçada nas montanhas, parecendo bastante abatido. Sua esposa perguntou:

— Que presente eu poderia lhe dar que o fizesse rir novamente?

— Em verdade, nada poderia me fazer rir de novo, exceto se Árvore-Dourada tornasse a viver.

— Bem, você a encontrará com vida novamente naquela sala.

Quando o príncipe viu Árvore-Dourada viva, teve enorme regozijo, e começou a beijá-la, beijá-la e beijá-la. A segunda esposa disse:

— Uma vez que ela é sua primeira esposa, é melhor que fique com ela, e eu irei embora.

— Oh! Mas você não irá embora, eu ficarei com ambas.

No final do ano, Árvore-Prateada retornou ao vale estreito, no qual havia a nascente onde morava a truta.

— Pequena truta, minha amiguinha, eu sou a rainha mais bonita do mundo?

— Oh! Decerto não és.

— Quem, então?

— Árvore-Dourada, sua filha.

— Bem, já faz tempo que ela não está mais viva. Eu coloquei uma agulha envenenada em seu dedo.

— Oh! É seguro que ela não está morta.

Árvore-Prateada voltou para casa e implorou que o rei preparasse o grande navio para que ela visitasse sua querida Árvore-Dourada, pois fazia muito tempo desde que a vira pela última vez. O grande navio foi preparado, e eles zarparam. Foi a própria Árvore-Prateada quem se manteve ao leme, e dirigiu tão bem a embarcação, que levou pouco tempo para que chegassem.

O príncipe estava fora, caçando nas colinas. Árvore-Dourada sabia que o navio de seu pai estava se aproximando.

— Oh, não — ela disse. — Minha mãe está vindo. E vai me assassinar.

A segunda esposa respondeu:

— De forma alguma. Iremos lá nos encontrar com ela.

Árvore-Prateada ancorou e chamou pela filha:

— Venha cá Árvore-Dourada, meu amor, pois sua própria mãe vem até você trazendo-lhe uma preciosa bebida.

A segunda esposa falou:

— É costume neste país que a pessoa que oferece um drinque prove-o primeiro.

Árvore-Prateada encostou a boca na bebida, e a segunda esposa golpeou-a de forma que parte do líquido descesse por sua garganta, fazendo-a cair no chão, morta. Seu corpo sem vida foi carregado de volta para casa e enterrado.

O príncipe e suas duas esposas viveram por muito tempo depois disso, satisfeitos e felizes.

Deixei-os lá.

Comentários

Esta versão vem da Escócia e foi retirada do livro *Celtic fairy tales* (*Contos de fadas celtas*), de 1892, compilado por Joseph Jacobs (1854-1916). Nascido na Austrália, o escritor migrou aos 18 anos para a Inglaterra, onde estudou no St. John College, uma das 31 instituições universitárias de Cambridge. Posteriormente, mudou-se para a Alemanha, onde estudou na Universidade de Berlin, e quase uma década depois voltou à Inglaterra, onde, em 1980, começou a publicar a série de livros *English Fairy tales* (*Contos de fadas ingleses*). Sua coleção completa tem cinco volumes, dos quais *Celtic fairy tales*, que contém esta versão da lenda, é o terceiro.

De acordo com as próprias anotações do autor, *Árvore-Dourada e Árvore-Prateada* é uma fábula que não nasceu no local, mas foi importada de fora e se espalhou por toda a região dos *highlands*, com pequenas variações de um lugar a outro.

É interessante notar como o elemento mágico aqui muda do espelho para a truta, um animal típico da região. Há também a presença de certos elementos geográficos próprios das terras altas escocesas, o que nos leva a crer que a história original foi se acomodando às condições locais e criando pontos de confluência, num processo lento e inconsciente executado por uma pletora de contadores.

Tal como na primeira versão dos irmãos Grimm, a antagonista é a própria mãe da personagem, mas assusta um pouco a postura passiva do pai, que bane sua filha apenas para não entrar em conflito com a rainha, e, depois, ainda concorda em levar a esposa até o reino do príncipe, mesmo sabendo que ela executaria sua vingança. A ausência de personagens masculinos fortes, na verdade, é uma grande curiosidade nesta versão, já que o príncipe passa a maior parte do seu tempo chorando ou em caçadas, e não tem uma única ação proativa sequer.

Quem surge como a grande defensora do bem e da moral, que irá equilibrar a balança de forças, é a personagem da segunda esposa. É ela quem acorda Árvore-Dourada e impede seu destino cruel e definitivo enfrentando de igual para igual a invejosa Árvore-Prateada. O surgimento dessa segunda esposa e a harmonia que nasce a partir de então, uma terna e natural poligamia partilhada pelo trio, são assuntos de muita controvérsia entre estudiosos.

Por um lado, há os que defendem tratar-se de um forte indício de que, embora haja uma carência de registros escritos, é possível aferir que entre os povos da região a poligamia era não só aceita, como incentivada – daí sua difusão nas histórias. Por outro, há os mais cautelosos que julgam ser essa uma presunção muito séria e apressada. Para estes, não se trata de uma prática primitiva pré-cristã, e sim um modelo representativo de sentimentos. Isto sem contar que, dada a localização geográfica dos povos celtas – extremo da Europa –, é possível afirmar que as fábulas viajaram um longo caminho até chegar a eles. Conforme o próprio Jacobs diz nas notas de seu livro, eles são "os últimos elos da corrente". As histórias chegaram até os celtas sofrendo inserções e supressões vindas de outras localidades, o que pode incluir a relação poligâmica. Rastrear o que nasceu na Escócia e o que viajou até ela é, contudo, uma tarefa impossível.

Uma observação final diz respeito à ambiguidade da última frase. Repentinamente vemos o surgimento de um narrador que nos revela ter testemunhado os fatos pessoalmente, ao passo que, durante todo o resto da narrativa, a impressão que se tem é que se tratava de um narrador onisciente. Não há formas concretas para determinar quem é esse narrador, e seria infantil pensar que algum personagem, como a truta, tenha ganhado voz, sendo a hipótese mais provável uma tentativa do autor de agregar valor sentimental ao texto.

Itália (1870)

Warwick Goble, 1913

Maria, a madrasta má, e os sete ladrões

Laura Gonzenbach

Era uma vez, um homem cuja mulher falecera, e ele ficara apenas com uma filhinha, chamada Maria.

Maria ia à escola onde uma mulher a ensinava a bordar e costurar. À noite, quando ela voltava para casa, a mulher sempre dizia:

— Dê meus sinceros cumprimentos ao seu pai.

Por causa desses sinceros cumprimentos, o homem pensou: "Ela poderia ser uma esposa para mim" – e casou-se com a mulher.

Após o casamento, a mulher tornou-se pouco amigável com Maria, pois madrastas sempre são assim, e, com o tempo, ela sequer conseguia suportar a menina.

Então, disse a seu marido:

– A menina come demais de nosso pão. Temos que dar um jeito de nos livrarmos dela.

Mas o homem respondeu:

– Não posso matar minha filha.

Então a mulher disse:

– Amanhã, leve-a consigo para o campo e a deixe só, de forma que não seja capaz de encontrar o caminho de volta para casa.

No dia seguinte, o homem chamou a filha e lhe disse:

– Vamos passear no campo. Vamos levar conosco algo para comer.

Então, ele pegou uma grande fatia de pão e seguiram em frente. Entretanto, Maria era esperta e encheu os bolsos de farelo. Conforme caminhava ao lado de seu pai, de tempos em tempos jogava um punhadinho de farelo no caminho. Após caminharem por muitas horas, chegaram ao topo de um precipício íngreme. O pai derrubou a fatia de pão no precipício e gritou:

– Oh, Maria, nosso pão caiu lá embaixo.

A menina respondeu:

– Pai, vou descer até lá para buscá-lo.

Então, ela desceu pelo precipício e apanhou o pão, mas, ao retornar à beirada, seu pai havia desaparecido, e Maria estava sozinha.

Ela começou a chorar, pois estava longe de casa e num lugar desconhecido. Porém, logo pensou nos punhadinhos de farelo e tomou coragem. E seguindo o rastro de farelo ela finalmente chegou à casa, bem tarde, naquela mesma noite.

– Pai, por que me deixou sozinha? – ela perguntou.

O homem confortou-a e conversou com ela até conseguir tranquilizá-la.

A madrasta ficou muito zangada por Maria ter conseguido voltar, e pouco tempo depois tornou a dizer ao seu marido que a levasse até o campo e a abandonasse nas matas.

Na manhã seguinte, o homem chamou sua filha mais uma vez e, juntos, seguiram em frente. Novamente, o pai apanhou uma fatia de pão, mas

Maria se esqueceu de levar o farelo consigo. Nas matas, chegaram até um precipício ainda mais íngreme e alto. O pai deixou o pão cair na beirada e, novamente, quando a menina foi buscá-lo, a abandonou. Ela chorou amargamente, e correu sem destino durante bastante tempo, embrenhando-se cada vez mais no interior da escura floresta.

A noite caiu e, de repente, ela viu uma luz. Foi em direção a ela e chegou até uma pequena casa. Dentro, encontrou a mesa posta e sete camas, mas não havia ninguém.

A casa pertencia a sete ladrões.

Maria se escondeu atrás de uma amassadeira, e logo os sete ladrões retornaram para casa. Eles comeram e beberam, e então foram para a cama. Na manhã seguinte, saíram, porém o irmão mais novo ficou em casa para cozinhar e limpar. Após todos terem ido embora, o irmão mais jovem foi comprar comida. Então, Maria saiu de trás da amassadeira, varreu e limpou a casa, e colocou uma panela no fogo para cozinhar feijão. Depois, mais uma vez, se escondeu atrás da amassadeira.

Quando o irmão mais jovem voltou para casa, ficou maravilhado ao ver tudo tão limpo, e, quando seus irmãos retornaram, relatou-lhes o que tinha acontecido. Todos ficaram pasmos, e não tinham ideia do que pudesse ser aquilo. No dia seguinte, o segundo irmão ficou em casa sozinho. Ele fingiu que estava saindo, mas voltou de supetão e viu Maria, que deixara seu esconderijo novamente para limpar a casa.

Maria ficou apavorada ao ver o ladrão. Ela implorou:

– Oh, pelo amor de Deus, não me mate.

– Quem é você? – o ladrão perguntou.

Então ela contou sobre sua madrasta má e como seu pai a havia abandonado na floresta, e como por dois dias havia se escondido atrás da amassadeira.

– Não há necessidade de nos temer – disse o ladrão. – Fique aqui conosco e seja nossa irmã, cozinhe e lave para nós.

Quando os demais voltaram para casa, ficaram satisfeitos. Então, Maria ficou com os sete ladrões, fazendo o trabalho doméstico, sempre quieta e diligente.

Um dia, estava sentada junto à janela, bordando, quando uma velha mulher pobre passou pedindo esmolas. Maria lhe disse:

– Oh, não tenho muito, pois eu mesma sou uma garota bastante pobre e infeliz, porém darei o que tenho para a senhora.

– Por que você é tão infeliz? – a velha perguntou.

Então Maria contou como havia saído de casa e ido parar lá. A velha seguiu seu caminho e contou para a madrasta que Maria ainda estava viva. Quando a madrasta soube disso, ficou muito zangada e deu à mendiga um anel para que o levasse à pobre Maria. O anel era mágico.

Oito dias depois, a velha foi novamente até Maria para mendigar, e quando Maria lhe deu algo, a velha falou:

– Olhe, minha criança, eu tenho aqui um belo anel. Como foi tão boa para mim, quero dá-lo a você.

Sem suspeitar de nada, Maria apanhou o anel, mas, ao colocá-lo em seu dedo, caiu no chão, morta.

Quando os ladrões voltaram para casa e encontraram Maria caída no chão, ficaram muito tristes e choraram amargamente por ela. Então, construíram um belo caixão e nele a deitaram, após terem adornado a garota com as mais belas joias. Também colocaram uma grande quantidade de ouro no caixão, que puseram em um carro de bois. Dirigiram o carro até a cidade. Quando chegaram ao castelo do rei, viram que a porta da estrebaria estava aberta. Isto fez com que os cavalos ficassem bastante inquietos e começassem a empinar e relinchar.

Ao escutar o barulho, o rei enviou alguém lá embaixo para perguntar ao chefe da estrebaria o que tinha acontecido. O chefe respondeu que um carro havia sido levado até a estrebaria. Não havia ninguém no carro, mas dentro jazia um belo caixão.

O rei ordenou que o caixão fosse trazido até sua sala, e, lá, pediu que fosse aberto. Ao ver a bela menina morta dentro, começou a chorar e foi incapaz de deixá-la. Pediu que quatro grandes velas fossem trazidas e as colocou nos quatro cantos do caixão, sobre a tampa. Depois, pediu que todos saíssem da sala, fechou a porta, dobrou os joelhos diante do caixão e derramou lágrimas quentes.

Quando chegou o momento da refeição, sua mãe pediu que o chamassem. Ele não respondeu e, ao invés, chorou ainda mais fervorosamente. Então, a própria velha rainha foi até ele e bateu na porta, exigindo que abrisse, mas sem obter resposta. Ela olhou pelo buraco da fechadura e, ao ver que seu filho estava ajoelhado ao lado de um cadáver, ordenou que a porta fosse posta abaixo.

Entretanto, quando viu de perto a bela garota, ela também se sentiu comovida, inclinou-se sobre Maria e tomou sua mão. Vendo o belo anel, pensou que seria um desperdício deixá-lo ser enterrado junto com o cadáver, e o removeu. Imediatamente Maria voltou a viver.

O jovem rei disse com alegria à sua mãe:
– Esta menina será minha esposa!
A velha rainha respondeu:
– Que assim seja! – e então abraçou Maria.
Assim, Maria tornou-se esposa do rei e sua rainha. Eles viveram felizes e em esplendor até o dia em que morreram.

Comentários

A narrativa anterior foi registrada pela folclorista Laura Gonzenbach (1842-1878), no livro *Sicilianische märchen, aus dem volksmund gesammelt* (*Contos sicilianos, coletados do vernáculo*). Gonzenbach publicou dois volumes de fábulas sicilianas; esta versão pertence ao primeiro.

A importância da coletânea da escritora está no fato de ela ter tido a preocupação de tornar seu registro o mais próximo possível da tradição oral, diferente de outros autores famosos, como os próprios irmãos Grimm, que sacrificaram alguns aspectos da oralidade em prol da narrativa. Para Gonzenbach, a beleza de seu trabalho não está na estética, e sim na fidelidade.

Nesta versão, algo que chama bastante a atenção é a semelhança com outra fábula, *João e Maria*, que imortalizou a famosa sequência na qual os dois irmãos fazem uso de farelos de pão para marcar o caminho de casa — mesmo recurso usado aqui por Maria. É interessante imaginar como todas essas fábulas se amalgamavam na época das tradições orais, já que é possível encontrar com relativa frequência elementos de uma nas outras, e vice-versa.

Aqui é possível observar um elemento inédito e um tanto quanto bizarro, que é o pai da garota sendo atuante no processo de prejudicá-la. Se em outras versões sua irritante inação e apatia permitem que a madrasta (ou a mãe) cometa injúrias contra a menina, aqui é ele próprio quem leva a filha para um local remoto e a abandona à morte.

Os ladrões que acolhem a moça provam, em uma interessante inversão de papéis, que, apesar do título, não são pessoas ruins. Na verdade, nunca é mencionado de fato o que roubavam e, na única informação que o texto oferece, ficamos sabendo que eles compram a própria comida, o que gera certa ambivalência sobre sua natureza. Não obstante, são eles que protegem a garota e lhe oferecem cuidados e gentilezas.

Também é interessante notar a falta de voz ativa que Maria tem sobre sua própria vida, sendo pouco mais que um joguete nas mãos de todos. Ao final, quando ela é acordada de sua "morte", o jovem rei decide desposá-la, sem sequer se preocupar em perguntar sua opinião. E, embora o final da fábula seja "feliz", mais uma vez vemos as ações ruins permanecerem impunes.

Itália (1885)

Franz Jüttner, 1905

O caixão de cristal

Thomas Frederick Crane

Havia um viúvo que tinha uma filha. A menina tinha entre 10 e 12 anos de idade. Seu pai a mandou para a escola e, como ela estava totalmente sozinha no mundo, sempre a elogiava para sua professora. Mas a professora, ao ver que a criança não tinha mãe, apaixonou-se pelo pai e ficava dizendo à garota:

— Pergunte ao seu pai se ele não quer uma esposa.

Ela dizia isso todos os dias, até que, por fim, a menina perguntou:

— Papai, a senhorita da escola sempre me pergunta se o senhor não gostaria de casar com ela.

O pai respondeu:

— Minha filha, se eu tiver outra esposa, você terá grandes problemas.

Mas a menina insistiu, e finalmente o pai foi persuadido a ir até a casa da professora uma noite. Quando ela o viu ficou muito satisfeita, e marcaram o casamento para dali a alguns dias.

Pobre criança! Quão amargamente iria se arrepender por ter encontrado uma madrasta tão ingrata e cruel! Todos os dias ela a mandava ao terraço para regar um vaso de basílico, e era tão perigoso que, se a menina caísse, desapareceria em um rio enorme.

Certo dia, uma grande águia passou por ela e perguntou:

— O que você está fazendo aqui?

A menina chorava, pois acabava de perceber quão perigoso seria cair na correnteza. A águia falou:

— Suba em minhas costas, e a levarei para longe, e você será feliz com sua nova mamãe.

Após uma longa jornada, elas chegaram a uma planície ampla, onde havia um belo palácio de cristal; a águia bateu à porta e disse:

— Abram minhas senhoras, abram! Pois eu vos trouxe uma linda menina.

Quando as pessoas no palácio abriram a porta e viram a adorável menina, ficaram maravilhadas, e a beijaram e a acariciaram. Enquanto isso, a porta foi fechada e elas permaneceram em paz e satisfeitas.

Vamos voltar à águia, que pensou estar fazendo uma desfeita para a madrasta. Certo dia, ela voou até o terraço onde a madrasta estava regando o basilisco. O pássaro perguntou:

— Onde está sua filha?

— Bem, talvez ela tenha caído deste terraço lá no rio; não tenho notícias dela há dez dias — a mulher respondeu.

A águia a alertou:

— Que tola você é! Eu a levei para longe; vendo que você a tratava de forma tão dura, levei-a até as fadas, e ela está muito bem.

Então, a águia voou para longe.

A madrasta encheu-se de raiva e ciúmes, chamou uma bruxa da cidade e lhe disse:

— Veja, minha filha está viva, ela está na casa de algumas fadas, levada por uma águia que com frequência visita meu terraço; você precisa me fazer um favor, e encontrar alguma maneira de assassinar minha enteada, pois temo que um dia ou outro ela retornará, e meu marido, ao descobrir tudo, me matará.

A bruxa respondeu:

— Oh, não tenha medo, deixe isso comigo.

O que a bruxa fez? Preparou uma cesta de doces, na qual colocou um feitiço; então escreveu uma carta, fingindo que era do pai da menina que, ao descobrir onde ela estava, quis lhe enviar um presente, e a carta fingia que seu pai estava feliz em descobrir que ela vivia com as fadas.

Vamos deixar a bruxa que está preparando toda essa farsa, e retornar a Ermellina (pois este era o nome da jovem garotinha). As fadas lhe haviam dito:

— Ermellina, nós ficaremos ausentes por alguns dias; durante esse período, tome cuidado para não abrir a porta para ninguém, pois sua madrasta está preparando algum tipo de traição.

Ela prometeu não abrir a porta para ninguém:

— Não fiquem ansiosas, estou bem, e minha madrasta não tem nada a ver comigo.

Mas não era bem assim. As fadas ausentaram-se e, no dia seguinte, quando Ermellina estava só, escutou uma batida à porta e respondeu:

— Vá embora! Não abrirei para ninguém.

No entanto, as batidas redobraram, e a curiosidade fez com que ela olhasse pela janela. O que ela viu? Uma das servas de sua própria casa (pois a bruxa havia se disfarçado como uma serva de seu pai).

— Oh, minha querida Ermellina — ela disse. — Seu pai estava derramando lágrimas de tristeza por você, pois acreditava de fato que você estava morta, mas a águia que a levou embora veio e trouxe as boas notícias de que você estava aqui com as fadas. Seu pai, sem saber o que fazer por você, pois ele compreende muito bem que não há nada que precise aqui, pensou em lhe enviar esta cesta de doces.

Ermellina ainda não abrira a porta; a serva implorou que ela descesse e apanhasse a cesta e a carta, mas ela disse:

— Não! Eu não quero nada!

Finalmente, uma vez que as mulheres, e em especial as jovens, adoram doces, ela desceu e abriu. Quando a bruxa lhe entregou a cesta, disse:

— Coma isso! — e partiu para ela um pedacinho dos doces envenenados. Quando Ermellina deu a primeira bocada, a velha já tinha desaparecido. Mal ela teve tempo para fechar a porta, e caiu das escadas.

Quando as fadas retornaram, bateram na porta, mas ninguém veio abrir; então perceberam que algo tinha acontecido e começaram a chorar. Então sua líder disse:

— Temos que arrombar a porta! — e assim fizeram, encontrando Ermellina morta nas escadarias.

Suas outras amigas, que a amavam tão profundamente, imploraram à líder das fadas que a trouxesse de volta à vida, porém ela assim não fez, dizendo:

— Ela me desobedeceu.

Mas foram tantos pedidos, que ela acabou concordando; abriu a boca de Ermellina, retirou o pedaço do doce que ainda não tinha sido engolido, colocando-a de pé, e a garota tornou a viver.

Podemos imaginar o prazer que foi para as suas amigas; mas a líder das fadas a reprovou por sua desobediência, e a garota prometeu jamais fazer aquilo novamente.

Novamente, as fadas foram obrigadas a se ausentar. Sua líder disse:

— Lembre-se, Ermellina: da primeira vez eu a curei, mas da segunda não a ajudarei mais.

Ermellina disse que elas não precisavam se preocupar, que não abriria a porta para ninguém. Mas não foi bem assim; pois a águia, pensando em aumentar a raiva da madrasta, contou-lhe novamente que Ermellina estava viva. A madrasta negou tudo à águia, entretanto, convocou a bruxa novamente e disse que sua enteada ainda estava viva:

— Ou você a mata, ou minha vingança recairá sobre você!

A velha, sentindo-se acuada, pediu que ela comprasse um belo vestido, o mais belo que pudesse encontrar, e transformando-se na costureira da família, apanhou o vestido e partiu, indo até a pobre Ermellina. Bateu à porta e falou:

— Abra, sou eu, sua costureira.

Ermellina olhou pela janela e viu sua costureira; e ficou, de fato, um pouco confusa (na verdade, qualquer um teria ficado).

A costureira disse:

– Venha aqui embaixo, preciso que prove este vestido.

Ela respondeu:

– Não, pois já fui enganada uma vez.

– Mas eu não sou a velha senhora – respondeu a outra. – Você me conhece, pois sempre costurei seus vestidos.

A pobre Ermellina foi persuadida, e desceu as escadas; a costureira aproveitou para fugir enquanto a garota ainda estava abotoando o vestido. Ermellina fechou a porta, estava subindo as escadas, mas não conseguiu sequer chegar ao topo, pois caiu morta no chão.

Vamos retornar às fadas, que voltaram para casa e bateram, mas de que adiantaria? Não havia mais ninguém lá. Elas começaram a chorar. A líder das fadas disse:

– Eu avisei a vocês que ela me desobedeceria novamente, mas agora não posso fazer mais nada.

Então, elas quebraram a porta e viram a pobre garota com o belo vestido, mas estava morta. Todas choraram, pois realmente amavam a menina. Mas não havia nada a ser feito; a líder apanhou sua varinha encantada e ordenou que um belo caixão coberto com diamantes e outras pedras preciosas aparecesse; as demais fizeram uma linda grinalda de flores e ouro, colocaram-na sobre a jovem e então a deitaram dentro do caixão, que era tão rico e belo que contemplá-lo era maravilhoso. Então, a velha fada bateu sua varinha como de costume e ordenou que surgisse um cavalo tão lindo que nem mesmo o rei possuía igual. A seguir, apanharam o caixão, colocaram nas costas do cavalo e, antes que o levassem até a praça pública da cidade, a líder das fadas disse:

– Vão, e não parem até encontrar alguém que lhes diga: "Parem, por favor, pois eu perdi meu cavalo por vocês".

Vamos agora deixar as aflitas fadas e voltar nossa atenção ao cavalo, que correu a toda velocidade. Quem estava passando naquele momento? Um rei (o nome desse rei não se sabe), que viu o cavalo com aquela maravilha no lombo. Então, o rei começou a esporar seu cavalo, e nele montou tão firmemente que o matou, tendo de deixá-lo morto na estrada, mas continuou correndo atrás do outro cavalo. O pobre rei não conseguia mais suportar; viu-se perdido e exclamou:

– Parem, por favor, pois eu perdi meu cavalo por vocês!

Então, o cavalo parou (pois aquelas eram as palavras). Quando o rei viu aquela linda garota morta, não pensou mais em seu próprio cavalo, e levou aquele para a cidade. A mãe do rei sabia que seu filho saíra para caçar; quando o viu voltar com o cavalo carregado, não soube o que pensar. O filho não tinha pai, portanto, era todo-poderoso. Chegou ao palácio, pediu que o cavalo fosse descarregado e o caixão levado até seu quarto; então chamou sua mãe e lhe disse:

– Mãe, saí para caçar, mas encontrei uma esposa.

– Mas o que é isso? Uma boneca? Uma mulher morta?

– Mãe! – respondeu o filho. – Não se preocupe com o que é. É minha esposa!

Sua mãe começou a rir, e retirou-se para seu próprio quarto (o que poderia fazer, pobre mãe).

Agora, este rei miserável não saía mais para caçar, não se divertia mais, nem sequer descia para jantar, mas comia sozinho em seu quarto. Por uma fatalidade, aconteceu que uma guerra foi declarada contra ele, que se viu obrigado a partir. Antes, chamou sua mãe e disse:

– Mãe, preciso de duas arrumadeiras cuidadosas, cuja tarefa será guardar o caixão, pois, se ao meu retorno eu descobrir que alguma coisa aconteceu a ele, farei com que ambas sejam assassinadas.

Sua mãe, que o amava, disse:

– Vá meu filho, sem nada a temer, pois eu mesma tomarei conta do seu caixão.

Ele chorou por vários dias por ser obrigado a abandonar seu tesouro, mas não havia outra maneira, e teve que ir. Após sua partida, não fazia nada a não ser dar recomendações sobre sua esposa (era assim que a chamava) para sua mãe em cartas.

Vamos agora tornar à mãe, que não pensou mais sobre o assunto, nem mesmo em tirar pó do caixão. Mas, de repente, chegou uma carta que lhe informava que o rei havia sido vitorioso, e deveria retornar ao palácio em poucos dias. A mãe chamou as arrumadeiras e lhes disse:

– Meninas, estamos arruinadas.

Elas perguntaram:

– Por que, alteza?

– Porque meu filho retornará em poucos dias; e como foi que tomamos conta da boneca?

Elas responderam:

— É verdade; deixe-nos agora lavar o rosto da boneca.

Elas foram até o quarto do rei e viram que o rosto e as mãos da boneca estavam cobertos de pó e partículas de sujeira; então, apanharam uma esponja e lavaram seu rosto, mas algumas gotas da água caíram sobre o vestido e o mancharam. As pobres arrumadeiras começaram a chorar e foram pedir conselhos à rainha.

Ela disse:

— Vocês sabem o que fazer! Chamem uma costureira, peçam que faça um vestido exatamente igual a esse, e o removam antes que meu filho chegue.

E assim elas fizeram. Foram até o quarto e começaram a desabotoar o vestido. No momento em que removeram a primeira manga, Ermellina abriu os olhos. As pobres arrumadeiras saltaram apavoradas, exceto uma mais corajosa, que pensou: "Eu sou uma mulher, assim como essa aqui também é; ela não irá me comer".

Para encurtar o assunto, ela removeu o vestido e, quando terminou, Ermellina saiu do caixão e começou a andar pelo cômodo, para ver onde estava. As arrumadeiras caíram de joelhos diante dela e imploraram que lhes dissesse quem era. A pobre garota lhes contou a história completa. Depois, disse:

— Gostaria de saber onde estou.

Então as arrumadeiras chamaram a mãe do rei para explicar-lhe tudo. A rainha relatou toda a história para a garota, que não fez coisa alguma senão chorar penitentemente, pensando no que as fadas haviam feito por ela.

O rei estava prestes a chegar, e sua mãe disse para a boneca:

— Vamos lá, vista um dos meus melhores vestidos.

Ela a vestiu como uma rainha. Então, seu filho chegou. Elas trancaram a boneca em uma pequena sala, de forma que não pudesse ser vista. O rei veio com grande alegria, trombetas soando e bandeiras de vitória esvoaçando. Mas ele não estava interessado em nada disso, e foi direto para seu quarto, para ver a boneca; as arrumadeiras caíram de joelhos diante dele, dizendo que a boneca estava cheirando tão mal, que ninguém conseguia ficar no palácio, e elas foram obrigadas a enterrá-la.

O rei não quis escutar mais desculpa alguma, e chamou dois servos do palácio para preparar o patíbulo. Sua mãe o confortou, em vão:

— Meu filho, tratava-se de uma mulher morta.

— Não escutarei explicação alguma; morta ou viva, você deveria tê-la deixado para mim.

Finalmente, quando sua mãe viu que ele estava falando sério sobre a forca, tocou um pequeno sino, e na sala adentrou não mais a boneca, mas uma linda mulher, cuja beleza ninguém jamais vira igual. O rei ficou maravilhado, e perguntou:

— O que é isso?

Então sua mãe, as arrumadeiras e Ermellina lhe contaram tudo o que havia acontecido. Ele disse:

— Mãe, uma vez que eu a adorava quando estava morta e a chamava de esposa, agora desejo que ela seja minha esposa de verdade.

— Sim, meu filho. Faça-o, pois também concordo — a mãe respondeu.

Eles prepararam o casamento e, em poucos dias, tornaram-se marido e mulher.

Comentários

Esta versão de Thomas Frederick Crane (1844-1927) vem da Itália, e foi registrada no livro *Italian popular tales* (*Contos populares italianos*), de 1885. Crane foi um folclorista acadêmico, poliglota e especialista em literatura medieval. O escritor começou a publicar os registros da tradição oral na revista infantil *St. Nicholas Magazine*, famosa publicação da época que contou com vários escritores de renome, como F. Scott Fitzgerald e E. B. White. Posteriormente, os contos editados e outros inéditos foram reunidos para compor o volume citado acima.

Esta é, muito provavelmente, a versão mais disfuncional da lenda, muito por conta da personalidade psicopata que o rei apresenta. Logo em sua primeira aparição, o vemos matar o próprio cavalo para perseguir a visão da garota. A obsessão se agrava a ponto de retirá-lo de todo convívio social. Se a necrofilia é um elemento presente em quase todas as narrativas (afinal, o príncipe se apaixona por uma morta), aqui ela é intensificada de tal forma que chega a incomodar. A frase dita por ele ao final do conto, "(...) eu a adorava quando estava morta e a chamava de esposa, agora desejo que ela seja minha esposa de verdade", é particularmente perturbadora. Nota-se também sua postura, agressividade e intransigência quando decreta a morte das servas que não cuidaram da mulher no caixão. Não se trata, obviamente, de um rei bom e justo, mas de um tirano perigoso, egoísta e narcisista. O texto não diz abertamente, mas sugere que sua própria mãe seria morta no patíbulo por não ter cumprido suas ordens.

A linguagem utilizada nesta versão é diferente também. O narrador faz observações em mais de uma ocasião, intrometendo-se no texto ao expor opiniões pessoais e até mostrar certa dose de humor.

Causa estranheza a postura intransigente da líder das fadas, que, embora tenha o poder de curar Ermellina, opta por deixá-la "morta" por causa da desobediência. Ela traça uma pseudoprofecia na qual prevê o encontro que a garota terá com o rei, mas isto não atenua sua dura postura. Estranhamente, as fadas desaparecem da história logo a seguir, sendo absolutamente desprezadas pelo resto da narrativa. Além delas, outros elementos místicos, como a águia, também deixam de ser mencionados, como se, no momento em que não tivessem mais uso para o contexto geral, não precisassem mais ser lembrados.

O pai de Ermellina, aqui, não faz muito esforço para protegê-la das agruras do destino. Ele avisa que a presença de uma madrasta lhe trará problemas, mas seu aviso é superficial, e não demora a colocar seus interesses na frente dos de sua própria filha. Assim como outros elementos da história, ele aos poucos deixa de ser mencionado, até minguar completamente. Uma curiosidade: o caixão de cristal, elemento comum a quase todas as versões, não é mencionado em momento algum durante o texto, apenas no título.

Suíça (1856)

Theodor Hosemann, 1852

A morte dos sete anões

Ernst Ludwig Rochholz

Em uma das altas planícies entre Brugg e Waldshut, próximo à Floresta Negra, sete anões viviam juntos em uma pequena casa. Certa noite, uma atraente jovem camponesa que estava perdida e faminta abordou-os e pediu que lhe dessem abrigo para passar a noite. Os anões tinham apenas sete leitos e começaram a discutir entre si, pois cada um queria ceder sua própria cama para a moça. Finalmente, o mais velho levou a garota para a sua.

Antes que pudessem adormecer, uma mulher surgiu diante da casa, bateu à porta e pediu para entrar. A menina levantou-se imediatamente e disse à mulher que os anões só tinham sete camas, e que não havia espaço para mais ninguém. A mulher ficou bastante zangada com a resposta, e a acusou de ser uma rameira, pensando que ela estava coabitando com todos os sete homens. Ameaçando pôr um fim em tamanha sordidez, ela foi embora irada.

Na mesma noite, ela retornou com dois homens, que trouxera do alto das margens do Rio Reno. Eles imediatamente invadiram a casa e assassinaram os sete anões. Enterraram os corpos do lado de fora no jardim e queimaram a casa até restar somente cinzas. Ninguém sabe o que foi feito da garota.

Comentários

Esta pessimista versão foi registrada por Ernst Ludwig Rochholz (1809-1892) no livro *Scweizersagen aus dem Aargau* (*Lendas suíças de Aargau*), de 1856. É interessante notar que todos os aspectos que envolvem a inveja e o ciúme nas outras lendas são desprezados aqui, restando somente uma falsa lição de moral. Tomada como uma rameira, a camponesa incita a ira de uma moradora e causa, incidentalmente, a morte dos sete anões e (muito provavelmente) a sua própria. A mensagem implica mostrar as consequências que podem advir quando os preceitos cristãos e a moralidade da união estável e monogâmica não são observados. Uma análise mais apurada do texto é difícil, dada a simplicidade com que foi escrito, mas ele foi incluído aqui por causa da contundência. Em tempo, Aargau é um pequeno condado do norte da Suíça.

Rússia (1833)

Trina Schart Hyman, 1974

A fábula da princesa morta e dos sete cavaleiros

Alexander Pushkin

Com seu séquito o Tsar partiu.
A Tsarissa, com seu coração sensível,
Sentou-se só à janela,
Desejando que ele chegasse logo em casa.
Todos os dias, o dia inteiro, ela esperava,
Observando até que seus olhos dedicados
Se enfraquecessem pelo esforço excessivo,
Contemplando a planície vazia.
Nem um sinal de seu amado!
Nada além dos flocos de neve se precipitava
Amontoando-se em pilhas sobre o campo.
A terra estava tão branca quanto podia estar.
Por nove longos meses ela se sentou e esperou,
Mantendo sua vigília inabalável.
Então, na noite de Natal, de Deus
Uma filha ela recebeu.
No dia seguinte logo cedo pela manhã,
O amor e lealdade recompensados,
De volta ao lar da longa viagem,
Afinal chegou o pai-Tsar.
Ela lançou um olhar afetivo sobre ele,
Seus lábios finos se separaram ofegantes de alegria,
Então caiu de costas sobre a cama
E no horário da oração já estava morta.

Por muito tempo ele se sentou só, chorando.
Mas ele, também, era apenas humano.
Lágrimas derramou por um triste ano...
E com outra mulher se casou.
Ela (se alguém pode ser estritamente verdadeira)
Era uma jovem nascida Tsarissa,
Magra, alta, linda de ser vista,
Inteligente, espirituosa, e assim por diante.
Mas era em medida igual
Teimosa, orgulhosa, altiva, ciumenta.
Em seu rico e vasto dote

A fábula da princesa morta e dos sete cavaleiros

Havia uma pequena bola de cristal.
Tinha esta característica única:
Podia falar com perfeita dicção.
Somente com o cristal ela conseguia
Manter seu humor agradável.
Ela o cumprimentava muitas vezes ao dia
E se pavoneava perguntando-lhe:
"Diga-me, bela bola de cristal,
Nada além da verdade quero saber:
Quem em todo o mundo é mais formosa
E tem a beleza mais rara?".
E a bola de cristal respondia:
"Você, não se pode negar.
Você em todo o mundo é a mais formosa
E sua beleza é a mais rara".
A Tsarissa ria de alegria,
Encolhia os ombros animadamente,
Estufava as bochechas e erguia as pálpebras,
Movia os dedos, recatadamente, maliciosamente,
Empinava-se com as mãos nos quadris,
Arrogância em seus lábios.

Esse tempo todo, a própria filha do Tsar
Silenciosa, conforme a natureza lhe ensinara,
Cresceu e cresceu, e em pouco tempo
Ficou tal qual uma flor desabrochada:
Um corvo marrom de linda compleição,
Respirando gentileza e afeição.
E a escolha para o noivo
Caiu sobre o príncipe Yelisei.
O pedido foi feito. O Tsar concordou,
E seu dote foi decidido:

Sete cidades com ricas lojas,
Mansões – cento e quarenta delas.
Na noite antes do casamento,

Durante uma festa feita para a noiva,
A Tsarissa, com tempo a dispor,
Conversava com sua bola de cristal:
"Quem em todo o mundo é mais formosa
E tem a beleza mais rara?".
Então, o que o cristal respondeu?
"Você é bela, não se pode negar.
Mas a princesa é a mais formosa,
E sua beleza é a mais rara."
A Tsarissa deu um pulo alto.
Sobre a mesa, como ela trovejou,
Esbofeteou o espelho, irada,
Os calcanhares calçados batendo em fúria!
"Oh seu odioso globo de cristal,
Contando mentiras tão negras quanto latão!
Com que direito ela é minha rival?
Uma tola tão jovem, hei de reprimir.
Então ela cresceu – para meu desprezo!
Pequena maravilha tão branca ela é:
Com sua mãe olhando esbugalhada
Para a neve – o que há de tão maravilhoso!
Veja aqui, explique para mim,
Como pode ser ela a mais bela?
Varra este seu reino e procure bem
Em lugar algum encontrará igual a mim.
Não é essa a verdade?", ela gritou.
Ainda assim o cristal respondeu:
"Mas a princesa é a mais formosa
E sua beleza é a mais rara".
A Tsarissa queimou de rancor,
Tirou o espelho de sua vista para
Debaixo do armário mais próximo,
E quando havia recuperado o fôlego,
Convocou Smudge, sua criada de quarto,
E a ela deu suas instruções:
"Leve a princesa para a floresta,

Amarre suas mãos, pés e testa
A uma árvore! Quando os lobos chegarem,
Que comam a menina viva!".

A ira de uma mulher assustaria o demônio!
Protestos não adiantariam.
Logo a Princesa saiu com Smudge para a floresta.
Elas marcharam para tão longe
Que a Princesa adivinhou o motivo.
Apavorada por tão tola traição,
Ela implorou em voz alta: "Poupe minha vida!
Isenta de culpa eu sou!
Não me mate, eu lhe suplico!
E quando me tornar Tsarissa,
Dar-lhe-ei uma rica recompensa".
Smudge, que realmente amava sua tutelada,
Estando relutante em matá-la ou amarrá-la,
Permitiu que ela fugisse, dizendo gentilmente:
"Que Deus esteja ao seu lado! Não se aflija!".
E dito isso, retornou sozinha.
"Bem", perguntou a Tsarissa,
"Onde está aquela bela criaturinha?".
"Na floresta, por conta própria".
Respondeu Smudge. "E lá ela ficará.
Amarrei-a com firmeza a uma árvore
Quando uma besta faminta atacar
Pouco tempo ela terá para chorar
E rapidamente morrerá!".

O rumor se espalhou e causou pânico:
"O quê, a própria filha do Tsar desapareceu!".
Em luto ficou o Tsar naquele dia.
Mas o jovem príncipe Yelisei
Ofereceu uma oração fervorosa a Deus,
E partiu naquele exato momento
Para uma busca e trazer para casa

Sua doce e bela noiva.
Enquanto isso, a jovem menina caminhou
Pela floresta até amanhecer,
Incerta de onde se encontrava.
De repente, avistou uma casa.
Do lado de fora um cão correu uivando e latindo,
Então se sentou, seu rabo balançando.
No portão não havia guarda.
Tudo estava silencioso no jardim.
O cão ficou próximo de seu calcanhar,
Enquanto a Princesa subia
Os degraus até chegar ao pavimento,
Para tocar o sino próximo à porta.
Silenciosamente a porta se abriu
E diante de seus olhos surgiu
Uma câmara brilhante: por todos os lados
Camas se espalhavam com tapetes,
Mesas de carvalho sob o brasão
E um fogão com telhas sobre si.
Para a Princesa ficou claro,
Pessoas gentis viviam ali
Que não lhe negariam abrigo.
Ninguém estava em casa, contudo.
Então ela limpou as panelas
E deixou a casa inteira reluzente,
Acendeu uma vela em um canto,
Alimentou o fogo para se aquecer,
Subiu até a plataforma das camas
Para deitar sua cabeça cansada.

Hora do jantar. O pátio ressoava,
Cavalos trotavam e homens desmontavam.
Bigodes grossos e pele corada,
Sete luxuosos cavaleiros entraram.
Disse o mais velho: "Que maravilha!
Tudo tão limpo! O fogo queimando!

Alguém esteve limpando aqui
E está esperando em algum lugar próximo.
Quem está aí? Saia de seu esconderijo!
Seja amigo em paz permanente!
Se você for alguém velho e encanecido,
Venha ser o nosso tio!
Se for jovem e amar um tumulto,
O abraçaremos como a um irmão.
Se for uma dama venerável,
Então "mãe" será teu nome.
Se for uma bela donzela, a chamaremos
Querida irmã e a adoraremos".
Então a Princesa surgiu, desceu
Até os Sete Cavaleiros e se curvou,
Seus desejos bons enfatizando,
Corada e se desculpando
Por ter o adorável lar deles
Adentrado sem ser convidada.
Viram que seu discurso portava o testemunho
Da presença de uma Princesa.
Então liberaram um assento no canto,
Ofereceram uma torta com carne,
Encheram um cálice de vinho e serviram
Em uma bandeja, tal qual ela merecia.
Mas o cálice de vinho inebriante,
Ela educadamente recusou,
E a torta partiu com precaução,
Saboreando uma pequena porção.
Alegando estar muito cansada,
Logo a graciosa se retirou,
E os Sete Cavaleiros levaram-na
Ao melhor e mais belo quarto
E, enquanto engatinhavam para longe,
Ela no sono caía.

Os dias passaram voando para a Princesa,
Vivendo diariamente sem apreensão

Na floresta, nunca entediada
Com os Sete Cavaleiros fora de casa.
Trevas ainda cobriam a terra
Quando na alvorada os sete irmãos
Cavalgavam para tentar sua sorte
Com um arco longo, atirando em patos,
Ou para labutar suas espadas em batalha
E um árabe fora de seu cavalo,
Um tártaro precipitado,
Com um golpe perdeu sua cabeça,
Ou caçavam um circassiano,
Colidindo no cerne da floresta.
Ela, como senhora da casa,
Levantava-se mais tarde, se movia
Tirando o pó, polindo e cozinhando,
Nem uma única vez os cavaleiros repreendendo.
Eles, também, jamais a censuraram.
Dias voaram tenuemente.

E com o tempo o amor deles por ela cresceu.
Por causa disso, todos os sete irmãos,
Logo após o amanhecer de certo dia,
Foram até o quarto dela
E o Cavaleiro Mais Velho se dirigiu a ela:
"Como sabe, você é nossa irmã.
Mas todos os sete aqui
Estão apaixonados por você, minha querida,
E todos desejam seus favores.
Mas isso não pode acontecer. Que Deus nos proteja!
Encontre alguma maneira de nos dar paz!
Seja esposa ao menos de um,
Continue irmã para os demais!
Mas você balança sua cabeça. Isso é para
Dizer que nossa oferta foi recusada?
Nada do que provemos você irá escolher?".
"Oh, meus bravos e galantes irmãos,

Virtuosos acima de todos os outros!",
Disse a Princesa em resposta,
"Deus no céu me faria cair morta
Se minha resposta não fosse honesta.
Não tenho escolha, minha mão já foi prometida!
Todos são iguais aos meus olhos,
Todos tão valentes e sábios,
E amo todos vocês, queridos irmãos!
Mas meu coração pertence a outro,
Comprometido para sempre. Um dia
Hei de me casar com o Príncipe Yelisei!".

Silenciosos, os irmãos mantiveram a compostura,
Testas apertadas de frustração.
"Como desejar! Então agora sabemos",
Disse o Mais Velho com uma saudação.
"Peço que nos perdoe – e prometo,
Mais nada irá ouvir de nós!"
"Não estou irada", ela respondeu.
"Mas o meu compromisso devo respeitar."
Reverenciando-a, os sete pretendentes
Saíram do quarto com as paixões caladas.
Então, mais uma vez em harmonia
Eles viveram, e a amizade reinou.

A Tsarissa ainda ficava lívida
Cada vez que via de forma vívida
A memória da linda Princesa.
Por muito tempo o espelho, ali largado,
Era objeto do seu ódio.
Mas enfim sua ira diminuiu.
Então chegou o dia em que
Ela apanhou o globo de cristal
E sentou-se diante dele,
Sorriu e, como fazia antes, lhe perguntou:
"Saudações, belo globo de cristal!

Diga-me toda a verdade, vos peço.
Quem em todo o mundo é mais formosa
E tem a beleza mais rara?".
Disse o cristal em resposta:
"Você é bela, não se pode negar.
Mas onde os Sete Cavaleiros cavalgam
Morando humildemente em um bosque verde de carvalhos
Vive uma pessoa que é mais bonita que você".
A ira da Tsarissa recaiu sobre sua criada:
"Que tentativa tola foi essa de mentir?
Você me desobedeceu!".
Smudge confessou tudo...
Temendo a ameaça de ser torturada.
A sombria Tsarissa jurou
Enviar a Princesa para sua morte,
Ou então jamais tornar ela própria a respirar.

Certo dia, esperando na janela
Pelo retorno de seus irmãos,
Sentava-se a jovem Princesa na arcada.
De repente, o cão começou a latir.
Pelo pátio vinha apressada
Uma pobre mendiga, preocupada
Com o cachorro que ela mantinha a distância
Com um graveto. "Não, vá embora!
Fique aí, fique!", gritou a Princesa,
Inclinando-se da janela para a frente.
"Deixe-me chamar o cachorro para perto de mim
E então lhe oferecerei uma refeição."
E a mendiga respondeu:
"Linda criança, você tem minha simpatia!
Pois este seu cão, veja,
Poderia ter sido minha própria morte.
Veja-o rosnando, todo eriçado!
Venha até aqui, criança!". A Princesa queria
Sair e levar um pedaço de pão.

Mas o cão postou o corpo
Em volta de seu pé, recusando-se a deixar
Que ela fosse com a mendiga ter.
Quando a mulher se aproximou,
Selvagem como um urso irado,
Ele a atacou. Que incrível!
"Teve uma noite ruim de sono, imagino!",
Disse a Princesa. "Pegue! Lá!"
E o pão voou pelos ares.
A mendiga o apanhou.
"Devo humildemente agradecê-la, querida,
Deus seja misericordioso!", ela disse.
"Em troca aceite isso de mim!"
A brilhante maçã que ela segurava,
Recém-colhida, fresca, madura e dourada,
Voou direto para a Princesa.
Como o cão saltou em perseguição!
Mas a Princesa a prendeu firme com a palma de suas mãos.
"Aproveite a maçã conforme seu prazer, minha beleza!
Obrigada pelo pedaço de pão...",
Disse a mendiga, brandiu seu graveto no ar e desapareceu...
Escadas acima a Princesa subiu com o cão,
Que começou então a olhar
Com tristeza, chorando,
Como se seu coração estivesse ansiando
Pela dádiva da fala para dizer:
"Jogue longe esta maçã!".
Às pressas ela deu um tapinha em seu pescoço:
"Ei, Sokolko, qual o problema?
Deite-se!". Entrando mais uma vez
Em seu próprio quarto, ela fechou a porta,
Sentou-se cantarolando,
Esperando pela vinda de seus irmãos.
Mas não conseguia desviar o olhar
De onde a maçã estava,
Cheia de fragrância, rósea, brilhante,

Fresca e suculenta, madura e dourada,
Doce como mel aos lábios!
Ela podia até ver as manchinhas...

Primeiro, a Princesa pensou em esperar
Até o jantar. Mas a tentação
Provou ser muito forte. Ela apanhou a reluzente
Maçã, deu uma grande mordida
E, com suas belas bochechas docemente cheias,
Um delicioso bocado engoliu.
De uma vez sua respiração cessou,
Apaticamente seus braços brancos caíram.
De seu colo, a maçã rosada
No chão caiu. A desafortunada donzela
Fechou seus olhos desmaiados,
Cambaleou e caiu sem um único som,
Sobre o banco sua testa bateu,
Então deitou-se imóvel no pavimento...
Agora os irmãos, por sorte,
Estavam retornando em grupo
De mais uma incursão bélica.
Correu para encontrá-los na floresta
O cão, que rapidamente
Os levou direto pelo pátio.
Disseram os Cavaleiros: "Uma profecia maldita!
Previsão de dor!". Abriram a porta,
Foram até o quarto e resfolegaram.
Pois o cão, como um raio, pela maçã
Buscou e logo a devorou.
Morte instantânea dele se apoderou.
Pois a maçã estava, todos viram,
Repleta de veneno até o centro.
Diante da Princesa morta, os irmãos
Curvaram suas cabeças em lágrimas e fizeram
Uma prece sagrada para salvar a alma dela;
Nada poderia consolar a dor deles.

Ergueram-na do banco, vestiram-na,
Prepararam um túmulo para que ela descansasse,
Depois mudaram de ideia. Pois ela
Continuava tão rósea como se apenas dormisse.
Guirlandas de repouso foram colocadas
Em volta dela – embora não mais respirasse.
Três dias inteiros eles esperaram,
Mas ainda seus olhos estavam firmemente fechados.
Então, naquela noite, com um ritual solene,
Em um caixão feito de cristal
Eles deitaram o belo corpo da Princesa,
E de lá o levaram para uma montanha oca,
Onde uma tumba prepararam para ela.
Correntes de ferro usaram para prender
Sua caixa de vidro a seis pilares,
Com dupla precaução e ereta,
Trilhos de ferro para proteção.

Então, o Mais Velho inflou o peito
E à Princesa morta falou:
"Que a paz eterna seja seu torpor!
Embora seus dias tenham sido poucos em número
Nesta terra – o desprezo cobrou seu pedágio –,
Ainda assim o céu terá sua alma.
Com amor puro nós a tratamos,
Para seu amado nós a guardamos,
Mas você não chegou ao seu noivo,
Somente a uma tumba escura e gelada".
Naquele mesmo dia, a Tsarissa má,
Esperando que boas notícias chegassem até si,
Apanhou o espelho secretamente
E fez sua habitual questão:
"Quem é agora a mais formosa
E tem a beleza mais rara?".
E a resposta a satisfez:
"Você, não se pode negar.

Em todo o mundo é a mais formosa
E sua beleza é a mais rara!".

Em busca de sua doce noiva,
Por todo o país o Príncipe Yelisei ainda cavalgava,
Chorando amargamente. Sem notícias!
Pois não importava para quem perguntasse,
Ou as pessoas lhe davam as costas,
Ou caíam na gargalhada rudemente.
Ninguém sabe atrás do que ele estava.
Agora, para o brilhante Sol com fervor
O valente jovem Príncipe apelou:
"Sol, querido Sol! O ano inteiro cursando
Pelo céu, na primavera descongelando
A terra gelada da neve de inverno!
Você nos olha a todos aqui embaixo.
Com certeza não irá me negar uma resposta?
Diga-me, por um acaso não viu
A Princesa que eu reverencio?
Eu sou o noivo dela". "Meu querido",
Disse o Sol com alguma insistência:
"Não vi a Princesa em lugar algum,
Então devemos presumir que ela esteja morta,
A não ser que minha amiga Lua
Não a tenha encontrado em suas viagens,
Ou visto pistas que você possa desemaranhar".

Pela noite escura Yelisei,
Sentindo nada a não ser desejo,
Com a perseverança do amor,
Esperou pela Lua a aparecer.
"Lua, oh Lua, minha amiga!", ele disse,
"Como chifre de ouro ou cabeça redonda,
Das trevas mais escuras que se levantam,
Com seu olho levando conhecimento ao mundo,
Você cujas estrelas lhe dedicam seu amor

Pois você vela a noite!
Com certeza não irá me negar uma resposta?
Diga-me, por um acaso não viu
A Princesa que eu reverencio?
Eu sou o noivo dela". "Meu querido",
Disse a Lua com consternação,
"Não, eu não vi a donzela.
Como sabes, eu somente ando
Quando é minha vez.
Pode ser que eu descansasse
Quando ela passou." "Que irritante!",
Gritou alto o príncipe Yelisei.
Mas a Lua lhe disse:
"Espere um minuto! Eu sugiro a você
Que peça ao vento para vir ajudá-lo.
Chame-o agora! Vale a pena tentar.
E se anime um pouco! Adeus!".

Yelisei, sem perder a coragem,
Apressou-se para a casa do Vento.
"Vento, oh Vento! Senhor dos céus,
Pastando rebanhos de nuvens nas alturas,
Agitando o oceano azul escuro,
Colocando todo o ar em movimento,
Sem medo de coisa alguma,
Exceto Deus que reina supremo!
Com certeza não irá me negar uma resposta?
Diga-me, por um acaso não viu
A Princesa que eu reverencio?
Eu sou o noivo dela". "Escute",
Disse o Vento em um sopro turbulento.
"Onde uma silenciosa correnteza flui,
Há uma montanha alta e íngreme,
Dentro dela há uma caverna profunda.
Nesta caverna em meio a sombras funestas
Jaz um caixão feito de cristal.

Preso por correntes a seis pilares.
Ao seu redor uma terra estéril na qual
Homem algum jamais encontra outro.
Nesta tumba encontrará sua noiva!".
Com um uivo, o Vento se foi.
Yelisei chorou alto e por muito tempo.
Para a terra estéril ele partiu
Desesperadamente, com infeliz anseio
De rever sua noiva.
Em frente ele cavalgou. Uma alta montanha
Ergueu-se diante de si, subindo acentuada
De uma terra plana completamente morta.
Aos seus pés uma entrada sinistra.
Yelisei rapidamente entrou.
Lá ele viu, nas sombras furtivas,
Um caixão de cristal balançando,
Onde a Princesa deitada descansava
No sono profundo dos bem-aventurados.
E o Príncipe dissolvido em lágrimas
Jogou-se sobre o caixão...
E ele quebrou! A donzela ereta
Veio à vida, sentou-se, e em grande maravilha
Olhou ao redor e, bocejando,
Conforme ela observava sua cama que parecia uma gangorra,
Disse com os belos braços estendidos:
"Bendita seja eu! Quanto tempo dormi!".
Ela desceu do caixão.
O gemido e o choro!
Carregando sua noiva, ele andou
De volta à luz do dia. Cavalgaram de volta ao lar,
Travando agradável conversação
Até chegarem ao seu destino.
Boatos rápidos se espalharam ao redor:
"A Princesa está salva e bem!".
Aconteceu que a Tsarissa
Em seu quarto estava sentada, ociosa,

Ao lado de seu globo mágico espelhado.
E para passar o tempo, perguntou:
"Quem em todo o mundo é a mais formosa
E tem a beleza mais rara?".
E disse o espelho em resposta:
"Você é formosa, não se pode negar.
Mas a Princesa é a mais formosa
E sua beleza é a mais rara".
A Tsarissa deu um salto e esmagou
No chão o globo de cristal.
Correndo para a porta ela viu
A Princesa passar à sua frente.
Possuída pela dor e desprezo,
A Tsarissa morreu naquela noite.
Do túmulo onde foi enterrada
Para um casamento todo o povo seguiu,
Pois o bom Príncipe Yelisei
Casou-se com a Princesa no mesmo dia.
Nunca desde a criação do mundo
Houve celebração igual.
Eu estava lá, bebi hidromel e ainda assim
Mal molhei os meus bigodes.

Comentários

Diferente das demais versões apresentadas neste livro, *A fábula da princesa morta e dos sete cavaleiros* não é o registro de uma tradição oral, mas sim um poema inspirado na obra dos irmãos Grimm. Alexander Pushkin (1799-1837) é um dos mais celebrados autores russos de sua geração. Especialistas em sua obra são passionais, e defendem que ele praticamente definiu sozinho toda a literatura russa moderna. Sua importância é tão seminal para sua pátria, que não raro é comparada à mesma relevância que Shakespeare tem para o Ocidente.

Seu reconhecimento veio em 1820 com o aclamado poema *Ruslan e Ludmila*, e se manteve até o final da vida. Entre seus poemas de sucesso, os mais famosos são *O prisioneiro do Cáucaso* e *Os ciganos*; sua obra em prosa também é rica e aclamada, da qual se destacam *A dama de espadas* e *A filha do capitão*.

Aparentemente, Pushkin tinha uma cópia de uma edição francesa da obra dos irmãos Grimm. Tocado pela história de Branca de Neve, decidiu homenageá-la, contudo, fê-lo misturando a fábula alemã com elementos presentes no próprio folclore russo, o que explica a maior parte das mudanças perpetradas. Embora seja uma narrativa curiosa, afinal estamos falando de um poema russo, de autoria de um de seus maiores expoentes, inspirado por um texto alemão, advindo de tradições orais, há um grande problema em adaptar a obra para a língua portuguesa.

Na verdade, alguns linguistas defendem a ideia de que poemas jamais deveriam ser traduzidos para outras línguas, pois o resultado, por melhor que seja, padece de um grande prejuízo, principalmente na forma. O poema, traduzido, perde o ritmo do original; algumas figuras de linguagem parecem pueris e não funcionam tão bem no português; certos versos ficam muito grandes, enquanto outros, curtos demais. A funcionalidade tem, portanto, suas limitações. Por outro lado, outra opção seria negar acesso a grandes maravilhas da literatura produzidas em todo o mundo a pessoas cuja língua é uma barreira. Por certo, trata-se de um dilema. Ao optar por incluir este belo poema, desprezamos tentativas pueris de reproduzir as rimas e métricas russas, e nos concentramos em apresentar o conteúdo para o público. Contudo, a forma na qual os versos originais são apresentados foi respeitada, ainda que isso implicasse romper a métrica de forma abrupta em determinados momentos.

É possível perceber algumas adaptações feitas para a realidade russa, sendo a mais evidente a mudança das figuras dos nobres para Tsar e Tsarissa, porém, o que se manifesta de forma mais contundente no poema são os ideais românticos da época, expressos principalmente na nobreza da natureza (o sacrifício do cachorro diante dos cavaleiros para expor a verdade do que aconteceu com a Princesa é o ponto culminante) e pela atuação do Príncipe Yelisei, que jamais desiste de sua amada e insiste em sua busca até o fim. Destaque também para os cavaleiros, pessoas honradas e de bom coração, que, mesmo apaixonados pela protagonista, ao descobrirem que seu coração já está prometido a outro, continuam respeitando-a da mesma forma.

PARTE 2 – BRANCA DE NEVE NA CULTURA CONTEMPORÂNEA

Franz Jüttner, 1905

Filmes

A primeira versão feita para o cinema de Branca de Neve data de 1902, produzida por Siegmund Lubin, um imigrante da Prússia que acabou se tornando um dos pioneiros da indústria cinematográfica norte-americana. O filme é considerado em sua maior parte perdido nos dias de hoje, restando apenas poucos fragmentos. Infelizmente, não existem sequer informações confiáveis disponíveis acerca do elenco e da equipe, o que torna essa produção um grande mistério, assim como várias outras do mesmo período.

Em 1910, uma versão francesa foi produzida pela empresa Pathé Frères. A curiosidade é que este filme também foi considerado perdido durante mais de 60 anos, até uma cópia ser descoberta em 2005, em uma coleção particular na Inglaterra.

Em 1913, uma nova adaptação ganhou as telas, estrelada por Elsie Albert, Baby Early Gorman e Mildred Manning, e produzida por Pat Powers. Apesar dos registros mantidos sobre o filme, também não se sabe se ainda há alguma cópia sobrevivente, até agora considerado perdido.

Em 1916, duas versões foram produzidas. A primeira com Aimee Ehrlich no papel de Branca de Neve, e sua mãe, Ruth Richie, como a Rainha Má, em uma performance histérica e caricata que representa o ponto mais alto e divertido do filme. O diretor Charles Weston optou por escalar crianças para grande parte do elenco, mas o clima alegre e bucólico que deu à sua película, com direito a muitas danças de fadas, e uma protagonista tão sorridente quanto irritante, comprometem o resultado.

A segunda versão de 1916 foi considerada perdida durante décadas, tendo sido descoberta apenas no início dos anos 2000 em um arquivo holandês do Nederlands Filmmuseum. O desaparecimento de filmes antigos é uma perda irreparável para a indústria, mas infelizmente é uma retórica. No passado, os rolos eram jogados fora com frequência pelos próprios estúdios, que não viam mais possibilidade de obter lucros com o material, e não sabiam como recuperar as versões estragadas – isto sem contar problemas com espaço e armazenamento. Portanto, encontrar versões intactas é sempre motivo de júbilo.

Dirigida por J. Searle Dawley, esta versão sempre eclipsou a outra por ter sido estrelada por Marguerite Clark como Branca de Neve, então com 33 anos de idade, mas interpretando de forma convincente uma jovem adolescente. Clark foi uma conhecida atriz do período áureo do cinema, que trabalhou em 40 filmes, tendo sido inclusive considerada pelo *New York Times* como uma das quatro maiores estrelas de sua geração, ao lado de Mary Pickford, Douglas Fairbanks e Charlie Chaplin. Sua beleza angelical a tornava perfeita para o papel, mesmo não tendo mais a idade adequada.

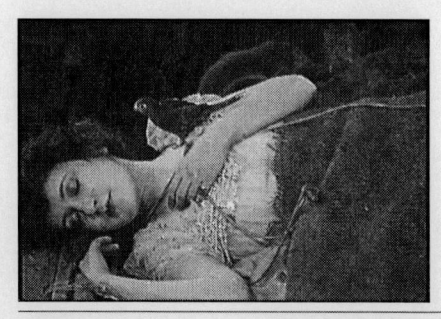

Imagem em domínio público

Marguerite Clark na cabana dos anões

A atriz foi convidada para o papel após um período atuando na peça de sucesso *The Snow White and the Seven Dwarfs*, encenada na Broadway em 1912, no atual teatro Helen Hayes (na época chamado apenas Little

Theatre). Na verdade, foi por conta desse sucesso que a produtora Famous Players-Lasky Corporation lhe fez o convite para o filme, que foi roteirizado por Jessie Graham White, também autor da peça.

Oriunda de uma época na qual o cinema era o irmão bastardo do teatro, e a sétima arte ainda buscava encontrar seu caminho próprio e desvencilhar-se das técnicas teatrais (a câmera fica praticamente o tempo todo estática e a movimentação dos atores obedece a marcações típicas de teatro), esta versão carece da vida e originalidade que o cinema obteria a partir da década seguinte. Ainda assim, tem seus méritos.

A madrasta, interpretada por Dorothy Cumming, é convincente e divertida dentro do contexto da obra. Ela trabalha com olhares fortes e marcantes, de forma bastante diferente do que seria feito em uma peça de teatro, como se compreendesse na época a transição que o cinema passava e qual seria o futuro da arte de atuar na tela. Mas, apesar de seu domínio da técnica, é mesmo Marguerite Clark quem faz o filme. Fontes não oficiais garantem que Walt Disney assistiu à versão, quando criança, a qual teve um impacto tão forte no garoto, que plantou nele o embrião para a animação de 1937. Embora não exista comprovação dessa história, ela é citada com frequência em biografias do cineasta.

Imagem em domínio público

Creighton Hale (Príncipe), Dorothy Cumming (Rainha) e Marguerite Clark (Branca de Neve)

O roteiro toma algumas liberdades com relação ao texto original dos irmãos Grimm no qual se baseia, porém, de forma geral, segue de perto a história com todos os elementos de sempre, incluindo os anões, o pente envenenado e o príncipe (Creighton Hale). *Branca de Neve*, mesmo durante os anos em que o filme esteve desaparecido, eclipsou a outra versão, e, hoje, é considerado uma das grandes joias do cinema mundial, recentemente disponibilizado em DVD nos Estados Unidos. Um negativo em 35 mm está preservado nos arquivos da George Eastman House, no International Museum of Photography and Film.

No ano seguinte, uma nova versão foi produzida com muito pouca repercussão, com Elsie Albert no papel título e Katherine Griffith como a antagonista. Em 1927, saiu *Little Snow White*, um curta-metragem que fez parte da série muda *The Grimm Fairy Tales*.

A Branca de Neve ficou afastada das encarnações *live-action* durante anos, muito por conta da versão definitiva feita por Walt Disney. Exceto por uma versão italiana de 1949, e outra inglesa de 1954, o conto só voltou aos cinemas em 1955, no filme alemão *Branca de Neve e os sete anões* (*Schneewittchen und die sieben Zwerge*), dirigido por Erich Klober. Trata-se também da primeira versão em cores da fábula. O filme só foi lançado nos Estados Unidos dez anos depois, em 1965.

Elke Arendt e Addi Adametz na versão de 1955

O elenco é formado por Elke Arendt (Branca de Neve), Addi Adametz (Rainha Má), Niels Clausnitzer (Príncipe Charmoso) e Dietrich Thoms (Caçador). A exemplo das versões anteriores, os anões são interpretados por crianças, porém o resultado é mais disfuncional que nos filmes da década de 1910, pois as condições técnicas superiores empregadas aqui não conseguem disfarçar a dicotomia gerada pelas presenças mirins. Em tempo, são crianças interpretando anões — fato que fica o tempo todo evidente na película. As músicas demasiado infantis e a interpretação fraca da madrasta também comprometem o resultado final. Embora tenha sua parcela de fãs, o filme foi citado no documentário *Os 50 piores filmes já feitos*, de 2004, escrito por Brandon Christopher.

Uma curiosidade é que o diretor Klober lançou no mesmo ano o filme *Branca de Neve e a rosa vermelha* (*Schneeweisschen und rosenrot*), baseado em outra história dos irmãos Grimm que, apesar do título, não tem nada a ver com a fábula dos sete anões.

Em 1960, o diretor grego Iakovos Kabanellis lançou uma comédia inspirada no conto e, no ano seguinte, foi a vez de Larry, Curly e Moe – famosos pelo seriado *Os três patetas* – se encontrarem com Branca de Neve, interpretada pela belíssima patinadora Carol Heiss, ganhadora de duas medalhas olímpicas, aqui em seu único filme. Na história, os anões saem de férias e deixam sua cabana aos cuidados dos patetas.

Também em 1961 a Alemanha tornou a produzir outra versão do conto, dirigida por Gottfried Kolditz, com Doris Weikow como Branca de Neve, Marianne Christina Schilling no papel da Rainha e Wolf-Dieter Panse como o Príncipe. Doris está encantadora no papel principal, misturando doçura e ousadia na medida certa. A Rainha é, de fato, assustadora, e seu ódio pela enteada não é amenizado, mas mostrado em toda sua crueza. Infelizmente trata-se de uma versão muito pouco vista, mas que merece ser descoberta.

Em 1969, o alemão Rolf Thiele dirigiu uma versão erótica, misturando diversos contos dos irmãos Grimm. Branca de Neve era interpretada por Marie Liljedahl, a Bela Adormecida por Gaby Fuchs e Cinderella por Eva Reuber-Staier, todas atrizes lindíssimas em começo de carreira. O filme foi lançado com o título *Contos dos irmãos Grimm para adultos*.

O filipino Dolphy, um dos maiores astros de ação do seu país, estrelou um derivado bizarro do conto, no qual ele faz o papel de Pinóquio e Liezel Martinez o da Branca de Neve. O filme *Pinokyo en Little Snow White* foi dirigido por Luciano B. Carlos, também autor do roteiro.

Outro filme adulto (este de péssimo gosto) foi *Branca de Neve e os sete pervertidos*, de 1973, mesmo ano em que a Itália entregou mais uma versão da fábula, *Biancaneve e i sette nani*, dirigida por Piero Regnoli.

Em 1979 foi a vez de a pornochanchada brasileira alcançar a lenda. A mulata Adele Fátima estrelou o sucesso *Histórias que nossas babás não contavam*, na qual o nome da protagonista mudou para Clara das Neves. Costinha, uma das lendas da comédia brasileira, interpreta o Caçador, e a Rainha fica por conta de Meiry Vieira. O filme é uma divertida sátira erótica, que inclui até mesmo um anão *gay*, o único que não faz sexo com Clara. A direção é de Oswaldo de Oliveira, cineasta que acumulou dezenas de sucessos em sua carreira, como *O bem dotado, o homem de Itu, O incrível monstro trapalhão, A super fêmea* e *Curral de mulheres*.

Cartaz original de *Pinokyo en Little snow white* (1972)

Histórias que nossas babás não contavam

Em 1982, o italiano Mario Bianchi adaptou para as telas o *fumetti* (HQ italiana) *Biancaneve*, de Renzo Barbieri e Rubino Ventura. A atriz Michela Miti, estrela italiana da indústria sexual, viveu o papel principal, contracenando com figuras conhecidas da década de 1970, como Gianfranco D'Angelo. O filme, batizado de *Biancaneve & Co.*, é uma deliciosa pérola *trash*, com um roteiro que não faz o menor sentido, orçamento baixíssimo e humor afiado.

Em 1987, a Cannon produziu uma versão musical do conto direto para o mercado de vídeo, com Sarah Patterson e Diana Rigg, e no ano seguinte a rede de TV ABC produziu uma série chamada *The Charmings*, que durou duas temporadas. Na primeira, Branca foi interpretada por Caitlin O'Heaney, e na segunda por Carol Huston. Embora tenha tido apenas seis episódios na primeira temporada, a série recebeu oito indicações para o Emmy Awards, todas de área técnica, tendo vencido por direção de luz. A segunda temporada teve 13 episódios.

Em 1995, a Itália entregou mais um filme adulto – aparentemente o tema é muito fascinante para diretores do gênero –, *Biancaneve e i sette nani*, de Luca Damiano, estrelado por Ludmilla Antonova. O filme foi a estreia da atriz, que no total atuou em apenas cinco longas.

Dez anos depois, o diretor Michael Cohn adaptou para a televisão uma versão aterrorizante da fábula com um megaelenco. Batizado de *Floresta negra*, o filme trazia Monica Keena no papel de Lilliana Hoffman (a protagonista), Sam Neill como Lorde Hoffman, seu pai, e Sigourney Weaver como Lady Claudia Hoffman, em uma das melhores interpretações de sua carreira. O filme é perturbador e ousado, e desenvolve uma atmosfera constante de horror. Os anões são substituídos por mineradores brutais e rancorosos, e é difícil ficar indiferente à loucura da rainha no fim da película, com seu bebê natimorto nos braços, dançando pelos corredores vazios do castelo enfeitiçado. O bordão do longa-metragem já dizia tudo: "O conto de fadas acabou"!

Universal Entertainment

Floresta Negra

Em 1998, a fábula retornou à TV no fraquinho *Willa: an american Snow White*, que adaptava a história para o ano de 1915, e pouco tempo depois, em 2001, outra produção para a televisão se propôs a ser a mais fiel já feita, com a gracinha Kristin Kreuk no papel solo, então começando a despontar para o sucesso por sua participação no seriado *Smallville*, como

Lana Lang. O filme, batizado de *Snow White: the fairiest of them All*, obteve boas resenhas e sucesso mediano.

Floresta Negra

Em 2004, a lenda retornou à Alemanha na comédia *7 Zwerge – Männer allein im Wald* (7 anões – homens sozinhos na floresta), de pouca repercussão; e, em 2007, foi readaptada em *Sidney White*, com Amanda Bynes, Sara Paxton e Matt Long. Por fim, dois anos depois, o espetacular balé popular francês *Blanche Neige* foi captado em vídeo pelo diretor Angelin Preljocaj. Com música de Gustav Mahler e figurinos de Jean

Paul Galtier, esta sensacional versão concebida para 26 bailarinos fez sua estreia na Bienal de Dança de Lyon, em 2008. Destaque para o final espetacular no qual a Madrasta dança até a morte em sapatos de ferro incandescentes.

Ao longo do último século, outras adaptações menores e menos importantes com atores de carne e osso pipocaram de diversas partes do mundo. Para o ano de 2012, três novas versões foram programadas; a primeira produzida novamente para o mercado de vídeo. Com direção de Rachel Goldenberg, *Grimm's Snow White* conta com um elenco jovem, capitaneado por Eliza Bennett no papel-título, Jane March como a rainha Gwendolyn, e Jamie Thomas King no papel do príncipe Alexander.

Mirror, Mirror (2012)

A Relativity Media, produtora nova no mercado, mas que tem acertado a mão com diversos títulos de sucesso, como o musical *Nine*, os megas-sucessos *Hancock*, *Hellboy II – O exército dourado* e *procurado*, e filmes "sérios" como *Os indomáveis* e *Frost/Nixon*, anunciou uma recriação fiel da história dos irmãos Grimm, roteirizada por Melissa Wallack e Jason Keller, ela estreante em Hollywood e ele com apenas um filme anterior no currículo, o *thriller* de ação *Redenção*. Ainda assim, a companhia acreditou no projeto e o confiou ao indiano Tarsem Singh, muito lembrado pelo seu trabalho no filme *A cela*.

Julia Roberts, no filme da Relativity Media

Parte 2 – Branca de Neve na cultura contemporânea

Singh apostou em uma aventura leve e bem-humorada, com clima juvenil e astros conhecidos de Hollywood para dar suporte à película. O grande destaque do elenco fica por conta de Julia Roberts, uma das maiores e mais conhecidas atrizes de todos os tempos, que interpreta a Rainha Má. Para contracenar com ela, está a jovem Lily Collins, que atuou somente em pequenos papéis antes de ser escolhida como a protagonista desta superprodução. O elenco de apoio inclui nomes conhecidos, como Sean Bean, Nathan Lane, Mare Winningham e Michael Lerner.

Divulgação

Lily Collins, no filme da Relativity Media

Divulgação

Lily Collins, no filme da Relativity Media

Uma curiosidade interessante sobre a produção deste longa-metragem ocorreu quando a Relativity Media deu sinal verde para que o filme seguisse em frente, porque a versão concorrente, *Branca de Neve e o caçador*, já estava em andamento há algum tempo. Nos Estados Unidos, o órgão que resolve problemas relativos ao título de filmes é o Motion Picture Association of America's Title Registration Bureau, uma espécie de sistema voluntário que é partilhado por todos os estúdios de forma igual, que cuida dos registros dos filmes, bem como as eventuais objeções e contendas que possam surgir entre si. Como o outro filme já havia definido seu título há bastante tempo e incluído nele o termo "Branca de Neve", enquanto o projeto da Relativity era tratado apenas como *Untitled Snow White Project* (Projeto sem título da Branca de Neve), quando chegou o momento de fazer o registro definitivo, o Bureau não liberou o termo para a Relativity, para não gerar confusão entre os dois filmes. Sem opção, o estúdio batizou sua produção de *Mirror, Mirror*.

Os figurinos opulentos e espalhafatosos, com palhetas de cores vivas e berrantes, que, aos olhos alheios, podem parecer gozar até mesmo de um ar cômico devido ao exagero, indicam que esta versão será bastante diferente da outra – muito mais voltada para o público jovem, menos *dark* e sombria. Isso também é algo constantemente reiterado pelos produtores de ambos os filmes, que dizem que não competem entre si, pois, embora o tema seja o mesmo, os resultados são absolutamente diferentes. A data de estreia de *Mirror, Mirror* nos Estados Unidos é 16 de março de 2012.

Branca de Neve e o caçador (2012)

Para 2012, a Universal Pictures preparou uma versão da fábula como jamais foi vista. O diretor Rupert Sanders, ex-publicitário, faz sua estreia em Hollywood em grande estilo, ao comandar um elenco estelar nesta produção milionária. Para o papel da protagonista, Sanders escalou a atriz sensação Kristen Stewart, que encantou toda uma geração de jovens no mundo inteiro ao viver Bella Swan, a heroína da saga *Crepúsculo*, bem-sucedida série que adapta para o cinema os livros de sucesso de Stephenie Meyer.

Para fazer par ao lado dela e viver o truculento Caçador, foi escolhido o carismático ator Chris Hemsworth, que chamou a atenção após o enorme sucesso do filme *Thor*, no qual vive o papel principal. Como a Rainha Má, a veterana Charlize Theron, vencedora do Oscar de Melhor Atriz por *Monster – desejo assassino*, e no papel de Príncipe, Sam Claflin. Completando o elenco, temos uma trupe de excelentes coadjuvantes para dar apoio ao grupo mais jovem: Ian McShane, Toby Jones, Nick Frost, Bob Hoskins e Ray Winstone.

Imagem promocional de Kristen Stewart em *Branca de Neve e o caçador*

Universal Pictures – Divulgação

Na história, Branca de Neve é enviada para ser morta pelo Caçador na floresta após um acesso de inveja de sua madrasta; contudo, em uma grande reviravolta, o homem decide não apenas poupá-la, como se tornar seu protetor e mentor. Escondidos da Rainha Má, ele treina a garota para que, juntos, possam empreender uma cruzada para tomar o poder de sua antagonista e libertar o reino, que está sob seu jugo.

Filmes

Universal Pictures – Divulgação

Imagem promocional de Chris Hemsworth em *Branca de Neve e o caçador*

Universal Pictures – Divulgação

Imagem promocional de Kristen Stewart em *Branca de Neve e o caçador*

Ao ser anunciada, a proposta foi recebida com desconfiança por alguns fãs; porém, bastou que as primeiras fotos começassem a ser liberadas com Kristen Stewart encarnando uma Branca de Neve guerreira, vestindo armadura medieval e de espada em punho, para o público se acostumar com a ideia. As informações liberadas a conta-gotas logo geraram grande ansiedade, o que tornou o intenso e sombrio longa-metragem um dos lançamentos mais esperados do ano. Quando o trailer foi lançado alguns meses antes da estreia, a ovação foi geral e as críticas bastante positivas.

O filme juntou dois produtores pesos-pesados: Joe Roth, com grande poder em Hollywood por causa da recente versão de Tim Burton para *Alice no país das maravilhas*, e Sam Mercer, do premiado *O sexto sentido*. A data de estreia nos Estados Unidos é 1º de junho de 2012.

Branca de Neve e os sete anões (1937)

O grande responsável pela popularização da fábula de Branca de Neve foi o filme lançado pelos Estúdios Disney em 1937. Esta adaptação mundialmente conhecida do conto foi um dos maiores êxitos da brilhante carreira de Walt Disney – e também uma de suas maiores excentricidades.

Branca de Neve e os sete anões

Disney era obcecado pela ideia de transformar a história dos irmãos Grimm em um marco do cinema e, ao mesmo tempo, elevar as animações ao *status* de arte. A paixão que tinha por seu trabalho o levou a dedicar quatro anos e meio de sua vida para o projeto, cujo resultado foi um espetáculo visual jamais visto até então. Previsto inicialmente para custar cento e cinquenta mil dólares (dez vezes mais que um desenho comum), o filme estourou dez vezes essa quantia, tendo somado gastos no valor de 1,5 milhão de dólares, um montante estratosférico para os padrões da época.

Branca de Neve e os sete anões foi um megassucesso de bilheteria e recuperou com folga o investimento. Uma grande curiosidade é que a *premiére* do filme ocorreu no dia 21 de dezembro de 1937, em Los Angeles, porém o primeiro país em que o filme estreou oficialmente foi o Brasil, em 10 de janeiro de 1938, seguido da Argentina em 22 de janeiro e finalmente os Estados Unidos, em 4 de fevereiro.

Walt investiu tudo o que tinha, mesmo após suas estimativas iniciais terem explodido várias vezes. Em determinado momento, hipotecou a própria casa para conseguir terminar o filme, que era chamado pela imprensa especializada de "a Loucura de Disney". A audácia, contudo, compensou, e os resultados colocaram os Estúdios Disney à frente dos competidores na época, como o Fleischer Studios. Também inaugurou a era de ouro dos longas-metragens de animação.

A trama adapta o conto original dos irmãos Grimm com relativa fidelidade, porém remove as passagens mais violentas e insere uma alta dose de diversão e humor, além de trazer músicas maravilhosas. Cabe dizer que até hoje é tradição que animações tenham belas canções originais. As composições ficaram ao encargo de Frank Churchill e Larry Morey, enquanto Paul J. Smith e Leigh Harline cuidaram da trilha incidental. *Branca de Neve e os sete anões* foi, inclusive, indicado ao Oscar de Melhor Trilha Sonora.

Disney – Divulgação

Branca de Neve e os sete anões, a "Loucura de Disney"

Disney supervisionou cada detalhe do processo a fim de obter o resultado final que desejava – que é tecnicamente brilhante e irretocável. O roteiro passou por nada mais, nada menos, que oito escritores, até chegar ao formato que ele queria. Para dar maior veracidade aos graciosos movimentos da protagonista, Disney solicitou que uma dançarina chamada Marge Champion, na época com apenas 14 anos de idade, servisse de modelo para os artistas do estúdio. A proposta foi tão bem-sucedida que ela voltou a trabalhar com ele em mais duas ocasiões, servindo como modelo para a fada azul de *Pinóquio* e a hipopótamo dançarina de *Fantasia*.

Branca de Neve e os sete anões – pôster original

O filme foi dirigido por David Hand, que supervisionou o projeto como um todo, porém outros cinco diretores cuidaram de sequências específicas do filme: William Cottrell, Wilfred Jackson, Larry Morey, Perce Pearce e Ben Sharpsteen. O sucesso e o prestígio do filme foram tão grandes, que em 1939 Walt Disney foi homenageado na cerimônia do Oscar ao receber um prêmio especial, cuja estatueta principal era do tamanho convencional, mas cercada por outras sete em miniatura. Na ocasião, o filme foi tido como "uma inovação significativa nas telas, que encantou milhões e abriu um novo campo de entretenimento". O prêmio foi entregue por Shirley Temple, então com apenas 10 anos de idade.

Nos créditos finais, Walt Disney reconhece o trabalho duro de sua equipe e a pressão a que foi submetida durante todo o processo, e agradece a todos com uma nota pessoal:

Meus sinceros agradecimentos aos membros da minha equipe, cuja lealdade e empreendedorismo criativo tornaram esta produção possível

Quando foi lançado em VHS (e depois em DVD), em 1994, *Branca de Neve e os sete anões* vendeu 10 milhões de cópias na primeira semana somente nos Estados Unidos. A animação ultrapassou com folga a marca de *Aladdin*, então campeão de vendas dos Estúdios Disney, e a impressionante quantia de 50 milhões de unidades vendidas em todo o mundo.

O filme foi relançado várias vezes no cinema e, recentemente, remasterizado em uma versão definitiva.

O musical

Em novembro de 1979, a animação de Disney foi adaptada para os palcos em um belo musical homônimo. A peça faz uso de todas as músicas originais compostas por Frank Churchill e Larry Morey para o filme, e também várias novas complementares, escritas especialmente para o palco por Jay Blackton e Joe Cook.

Branca de Neve foi interpretada por Mary Jo Salermo, o Príncipe Encantado por Richard Bowne, e a Rainha por Anne Francine. A peça foi produzida pela *Radio City Music Hall*, uma tradicional casa de shows de Nova York, e ficou em cartaz por seis meses, em um total de 106 bem-sucedidas apresentações. O show foi dirigido e coreografado por Frank Wagner e produzido por Robert F. Jani. A seguir, a lista de canções que fazem parte da peça, com a identificação de qual personagem a interpreta:

- *Overture*
- *Welcome To The Kingdom* – Elenco
- *Queen's Presentation* – Elenco
- *I'm Wishing* – Branca de Neve, Greta, camponeses
- *One Song* – Príncipe Encantado
- *With a Smile and a Song* – Branca de Neve, animais
- *Whistle While You Work* – Branca de Neve, animais
- *Heigh-Ho* – Sete anões
- *Bluddle-Uddle-Um-Dum (The Washing Song)* – Sete anões
- *Will I Ever See Her Again* – Príncipe Encantado
- *The Dwarfs' Yodel Song (The Silly Song)* – Branca de Neve, sete anões, animais
- *Some Day My Prince Will Come* – Branca de Neve
- *Heigh-Ho (Reprise)* – Sete anões
- *Here's The Happy Ending* – Elenco

Betty Boop encontra Branca de Neve

Em 1933, a famosa personagem Betty Boop fez uma bela homenagem à fábula de Branca de Neve em seu 43º *cartoon*. A animação faz parte da lista editada por Jerry Beck em 1994, que escolhe os 50 maiores *cartoons* da história, *The 50 Greatest Cartoons, as Selected by 1,000 Animation Professionals*. A animação começa com a Rainha Má cantando:

Magic mirror in my hand
Who's the fairest in the land?
To which the mirror replies:
You're the fairest in the land,
You're the fairest in the land![1]

Paramount Pictures

O premiado desenho de Betty Boop

    Logo na sequência, Betty aparece na porta do castelo e a interação entre elas começa. A animação é notável por ter sido feita por uma única pessoa, Roland C. Crandall, com grande observância dos detalhes, o que gerou um resultado meticuloso. Destaque para a música de Cab Calloway e sua orquestra, que embala o desenho.

---

1 Espelho mágico em minha mão / Quem é a mais bela nesta terra? / Ao que o espelho responde: / Você é a mais bela desta terra, / Você é a mais bela desta terra!

Teatro

Branca de Neve foi adaptada incontáveis vezes para o teatro em todo o mundo, por diversas companhias que, em geral, encenam versões para o público infantil. Recentemente, a obra de Walt Disney ganhou mais uma bem-sucedida adaptação nos Estados Unidos.

O Orlando Shakespeare Theater abriu de julho a outubro de 2011 a temporada de *Snow White and the Seven Dwarfs*. Com as experientes atrizes Melissa Mason (Branca de Neve), Erin Beute (Rainha Má) e produção de Brandon Roberts, a peça, voltada para o público jovem, foi um enorme sucesso. Mason já era conhecida no Orlando Theater por sua atuação seminal em Macbeth, e recebeu elogios de toda a crítica especializada ao encarnar a personagem da fábula dos irmãos Grimm. O espetáculo foi adaptado por Maurice Berger, curador chefe do Center for Art, Design and Visual Culture, da Universidade de Maryland, com direção de Patrick Flick. A bela música tocada pela Orquestra Filarmônica de Orlando engrandeceu bastante a peça, e o simpático elenco dava autógrafos para o público após todas as sessões – três por semana.

Parte 2 – Branca de Neve na cultura contemporânea

Foto de Rob Jones

Melissa Mason no Orlando Theater

Pastiches

Como todos os grandes clássicos da literatura mundial, a história de Branca de Neve foi reescrita diversas vezes, sob os mais diferentes pontos de vista por escritores que se apropriaram da lenda para oferecer uma nova versão dos fatos. Algumas delas são talentosas e encerram em si indubitável valor literário; outras não passam de leitura descartável, que não acrescenta nada de novo ou relevante ao que já foi produzido. Há, também, o material que, de tão ruim, sequer serve como entretenimento.

Branca de Neve já foi drama, comédia, terror, aventura, e transitou praticamente por todos os demais gêneros e subgêneros que existem. Reunir essa pletora de trabalhos é uma tarefa grande, e foge ao escopo deste livro, mas é possível elencar, ao menos, algumas obras que caíram nas graças do público e da crítica, justamente por causa da qualidade.

Snow, Glass, Apples

O escritor Neil Gaiman, mundialmente conhecido por sua obra-prima em quadrinhos *Sandman* e também autor de livros de sucesso, como *Deuses americanos*, escreveu sua versão da história. Trata-se de um conto de 1994, originalmente publicado em um livro beneficente para o Comic Book Legal Defense Fund, uma organização não lucrativa norte-americana que protege os direitos de quadrinistas no país. O conto foi reimpresso na antologia *Love in Vein II*, porém só se tornou conhecido de fato quando foi escolhido para fazer parte da coletânea *Smokes and mirrors: short fictions and illusions*, de 1998. No Brasil, o livro foi lançado com o título *Fumaça e espelhos*, publicado pela Editora Via Lettera.

Na história de Gaiman, toda a saga de Branca de Neve é contada do ponto de vista de sua madrasta. Contudo – e esta é a grande sacada da história –, Gaiman propõe não só uma mudança de narrador, como também uma inversão de papéis. A madrasta luta com todas as suas forças para livrar o reino do controle de sua enteada, uma furiosa donzela que trará a ruína a todos. Detalhe: no conto, que envolve questões pesadas, incluindo necrofilia e incesto, Branca de Neve é uma vampira!

White as Snow

A escritora britânica Tanith Lee, especializada em obras de fantasia e ficção científica, é autora de mais de 70 romances e foi a primeira mulher a receber o cobiçado prêmio British Fantasy Awards de Melhor Romance por seu livro *Death's master*, em 1980. Em 2000, ela decidiu produzir sua recriação da história de Branca de Neve.

O livro faz parte de uma iniciativa encabeçada pelo editor Terry Windling, na qual vários autores escrevem suas próprias versões de contos de fadas. Lee decidiu criar uma história densa e soturna, com ampla dimensão e profundidade emocional e psicológica, que mistura a versão original com elementos das lendas gregas de Perséfone e Deméter. O livro foi bem recebido pelo público e pela crítica, tornando-se um dos principais expoentes da *Fairy Tale Series*, de Windling.

Fairest of All: A Tale of the Wicked Queen

Este belo livro para o público adolescente foi escrito por Serena Valentino, celebrada autora da série de *graphic novels Nightmares & Fairy Tales*, publicado pela Disney Press, utilizando seus personagens. Trata-se de uma das principais contribuições literárias à lenda de Branca de Neve, pois se propõe a contar em detalhes toda a vida da madrasta antes que ela se tornasse quem era ao se casar com o rei. Vemos, portanto, o que se passou na vida da jovem rainha para que ela fosse consumida gradativamente por sua vaidade, até chegar ao ponto de planejar matar sua enteada.

Embora não seja um livro adulto, é uma história cheia de dor, frustrações, sofrimento e decepções, que agrada ao público mais jovem e em igual medida aos adolescentes. As justificativas para o comportamento psicótico da Rainha Má e sua obsessão pela própria beleza são ainda mais saborosas quando já sabemos como acabará seu rompante de ódio e ações impulsivas. Se não chega a ser possível sentir pena da madrasta, ao menos há certa dose de identificação com a personagem à medida que mergulhamos em seu passado. Soberba, amor, morte, loucura e traição são alguns dos principais temas que fazem parte desta obra, lançada em agosto de 2009, que recebeu dezenas de resenhas positivas e se tornou um grande sucesso de vendas.

Mirror, Mirror

Este interessante livro escrito pelo americano Gregory Maguire, lançado em 2003, mistura a lenda de Branca de Neve com elementos históricos. Ambientado na Itália, no ano de 1502, o romance acompanha a vida do nobre Don Vicente de Nevada, proprietário de um espelho mágico, e de sua filha de 7 anos, Bianca. Quando Nevada recebe a visita de Lucrécia Bórgia e seu irmão César, prole decadente do temido Rodrigo Bórgia – considerado o papa mais sanguinário da história –, sua vida começa a se complicar. Bórgia envia Nevada para uma longa missão, que durará anos – a busca pela árvore do conhecimento. A magnitude da tarefa que tem diante de si não deixa alternativa para o pai, senão confiar sua filha aos cuidados de Lucrécia. À medida que Bianca começa a crescer e se tornar uma bela moça, a inveja faz Lucrécia arquitetar um terrível destino para a garota nas densas matas da Toscana.

O principal mérito da visão do escritor é trazer tridimensionalidade a personagens comumente bidimensionais, e acrescentar conflitos morais, emocionais e psicológicos que vão além da tradicional proposta "bem *versus* mal". Todos os personagens, incluindo Lucrécia, carregam sua própria dose de contradições e questionamentos acerca de cada ação tomada. A crítica feita à Igreja também é ferrenha e, ao contrário de romances ambientados na mesma época, aqui a crença sobre a existência ou não de Deus é um conflito que atormenta todos os personagens.

Outros exemplos conhecidos dentre tantos outros de recriações da lenda incluem *Fairest* (2006), de Gail Carson Levine, *Snow White* (1967), de Donald Barthelme, e *The Blood Confession* (2006), de Alisa M. Libby.

HQs

A carreira de Branca de Neve nas HQs é quase tão rica quanto nos pastiches ou no cinema, e surpreende pela qualidade da maior parte dos produtos. O quadrinista japonês, Kaori Yuki, por exemplo, produziu o bem-sucedido mangá de horror gótico *Ludwig Revolution*, publicado em quatro volumes entre 2004 e 2007, que adapta livremente aspectos da lenda original.

No Brasil, o lançamento de *Irmãos Grimm em Quadrinhos*, da Desiderata, um selo da Ediouro, em novembro de 2007, foi tremendamente elogiado. Produzido por vários autores, a edição conta com uma bela capa de Allan Alex M. Alves e reúne no total 14 histórias baseadas na obra dos autores alemães. A história Branca de Neve é produzida por Rafael Coutinho, autor da premiadíssima HQ *Cachalote*.

Mas, provavelmente, o maior expoente das histórias em quadrinhos a recriar a lenda de Branca de Neve seja a série *Fábulas*, produzida pelo selo Vertigo da editora norte-americana DC Comics, casa dos heróis Batman, Superman e Mulher-Maravilha. O selo foi concebido em 1993 pela lendária editora Karen Berger, com o objetivo de publicar HQs com orientação adulta. Vertigo ficou famoso por ter disponibilizado no mercado algumas das melhores HQs dos últimos anos, com destaque para as séries *Preacher, Sandman, 100 Balas, Y – O último homem, Hellblazer* e *Fábulas*. Esta última conta com uma participação forte da Branca de Neve.

Escrita por Bill Willingham a partir de 2002, os protagonistas da série *Fábulas* são diversos personagens saídos dos contos de fadas e folclore popular de diferentes países, dos mais conhecidos aos mais obscuros. Na trama, todas as fábulas são forçadas a interagir entre si após terem sido expulsas de seus lares pelo misterioso Adversário – uma criatura de poder enorme e maldade incomensurável, que conquistou o reino delas. Privadas de suas casas, as fábulas não têm opção senão mudar para o mundo real, onde partilham em segredo sua existência com os chamados mundanos (seres humanos que não têm a menor ideia do que está acontecendo). As fábulas que podem passar por aparência humana criam uma comunidade clandestina no coração de Nova York e tentam levar sua vida. As que não podem são isoladas em um lugar conhecido como a Fazenda, onde são, de várias maneiras, exploradas por seus pares.

A série foi sucesso absoluto de público e de crítica. Ganhadora de nada mais, nada menos, que 15 prêmios Eisner – a premiação mais importante da indústria quadrinística –, é considerada por muitos como a "sucessora" oficial de outra HQ fundamental, *Sandman*, uma das principais responsáveis pela consolidação do selo Vertigo.

Branca de Neve, em *Fábulas*, é uma das personagens principais, porém, na versão criada por Willingham não tem nada de indefesa e delicada, como sugerem os contos de fadas tradicionais. Aqui ela carrega as rédeas dessa comunidade disfuncional, sendo um dos principais nomes do governo. Mulher de fibra, Branca conta com a ajuda de poucos, sendo seu principal aliado Bigby Lobo, na verdade o temido Lobo Mau, que atualmente ocupa o cargo de xerife. Seu casamento com o Príncipe Encantado acabou em divórcio há anos, devido às constantes infidelidades do homem; e em determinado momento da série ela engravida de Bigby Lobo, o que faz a história enveredar por caminhos inesperados.

Fábulas é um título consagrado, que merece ser conhecido por todos os amantes de contos de fadas. Já foi publicado no Brasil pela Pixel Media, Devir e atualmente vem sendo lançada pela Panini, tornando-se uma das HQs favoritas do público brasileiro.

Branca de Neve e o rock-n'-roll

Muitas bandas de rock já homenagearam a fábula dos irmãos Grimm de uma maneira ou de outra. Algumas delas adotaram o nome da princesa. A primeira, possivelmente foi *Snow White & Seven Dwarfs*, uma *big band* iugoslava que durou de 1940 a 1942, cujo fim prematuro ocorreu por causa da Segunda Guerra Mundial.

Outro conjunto de destaque foi *Snow White*, banda norte-americana de *heavy metal* da década de 1980, que chegou a excursionar abrindo shows para famosos conjuntos de *metal* da época, como Slayer, Overkill e Paul Dianno. Sua música mais famosa é *Hell's Gonna Rock*, que tem um videoclipe. Quando perguntada por que adotar o nome da fábula, Jim Strawder, o fundador da banda, respondeu que contos de fadas eram o nome mais legal que alguém poderia pensar nos anos 1980. Eles lançaram um LP antes de se separar.

Uma banda de música experimental, também chamada *Snow White*, foi montada em 2004. Infelizmente, o conjunto se separou no ano seguinte, deixando nenhum CD, mas dezenas de músicas à disposição na internet, como *I hate your band*, *Attack Form* e *It's not art, it's something*. Seus membros eram Olly Parker (vocal), Ewan Russell (guitarra), Adam Barr (baixo) e Ryan Barkataki (bateria).

Em 2007, foi fundada a banda finlandesa de *metal* extremo *Snow White's Poison Bite*, que tem despontado como um dos grandes expoentes do gênero. Composta por Allan "Jeremy Thirteenth" Cotterill (vocal e guitarra), Tuomo Korander (guitarra), Jarkko Penttinen (baixo) e Teemu Leikas (bateria), o primeiro CD, *The Story of Kristy Killings*, saiu em 2010, após o quarteto fechar um contrato com o escritório finlandês da EMI, porém a banda já havia lançado um *single* em 2008, *So Cinderella*, que também virou videoclipe.

Algumas bandas já compuseram músicas dedicadas à Branca de Neve. O conjunto alemão Rammstein gravou uma canção chamada *Sonne* para seu álbum *Mutter* (2001), na qual Branca de Neve é mostrada como uma dominatrix. No vídeo, os membros da banda aparecem como anões trabalhando para a implacável mulher.

Amy Lee, líder do conjunto norte-americano *Evanescence*, compôs a música *Snow White Queen*, para *The open door*, segundo álbum de estúdio do conjunto.

O lendário conjunto *The Cure*, banda em atuação desde 1976, liderada pelo vocalista Robert Smith, gravou a canção *The Real Snow White*, para seu 13º álbum de estúdio, *4:13 Dream*, de 2008.

A banda alemã de rock sinfônico Xandria também compôs uma música chamada *Snow White*, assim como o conjunto alternativo norte-americano Envy of the Coast, que compôs a soturna *Mirrors*. A música está em seu primeiro CD, *Lucy Gray*, de 2007, e conta com um videoclipe interessante filmado em Paris.

PARTE 3 – CONTO INÉDITO

Alexandre Callari

Roland Riesse, século XIX

Franz Jüttner, 1905

Mundo dos espelhos: lobos, sangue e neve

I

Bavária, 1810.
A sensação era de queda.
    Uma queda vertiginosa e sem fim, na qual abanamos os braços, retorcemos as pernas e gritamos até a voz falhar e não haver mais ar nos pulmões. Mas o chão não chegava. Tudo ao redor era cinza e enevoado. A Baronesa caía, mas não sabia de onde vinha ou para onde ia. Só o que havia era a sensação.

De repente, olhou para as próprias mãos e viu que estavam enrugadas, as unhas compridas e gastas, a pele manchada e fina como a de uma lagartixa. Os membros esqueléticos esvoaçavam e, de algum modo, ela soube que seus cabelos estavam brancos. Tocou o próprio rosto e estremeceu com a sensação passada às palmas. Ela sentiu asco de si própria, sentiu nojo e horror ao toque de sua face, os vincos em torno dos olhos, a pele no pescoço, esgarçada como tecido velho.

A queda era um rodopio incessante, permanente, imutável; constante, até que seus olhos cansados discerniram algo. Uma moldura negra, retangular, que formava um arco na parte superior. A madeira parecia trabalhada com figuras esculpidas à mão, anjos, gárgulas ou demônios – ela não saberia dizer – entrelaçados, talvez em guerra, talvez em cópula. O interior da moldura começou a brilhar, gerando luz própria, como uma espécie de passagem para outro nível de existência, um portal que levava a outra dimensão. Ela notou que caía diretamente na direção dele, cada vez mais próxima. Cada vez mais próxima. Até o choq...

A Baronesa abriu os olhos, assustada.

Já era dia, e os raios de sol entravam timidamente pela janela do quarto. Sua roupa estava encharcada de suor, e o coração rufava como um tambor sincopado. Levantando-se da cama, apressada, ela correu até o espelho do quarto e reconheceu as molduras do sonho que, aos poucos, começava a esvanecer de sua mente. A mulher olhou para a própria face com reverência.

Lisa. Limpa. Suave. Perene.

Um sentimento de alívio tomou conta do seu ser.

Sentou-se na beirada da cama e ficou sentindo os raios solares aquecerem gentilmente seu rosto, secando o suor provocado pelo sonho ruim. Duas batidas à porta interromperam o tênue momento.

– Entre.

Uma senhora gorda, vestindo avental e touca, precipitou-se para dentro do cômodo, com a cabeça baixa e mãos unidas na frente do corpo. Tratava-se de sua criada particular, que cuidava da maior parte de suas necessidades. Mas não havia qualquer vínculo afetivo entre as duas, embora a Baronesa estivesse sendo servida por ela há muitos anos.

– Senhora, o café está servido. Seu marido a aguarda.

A mulher nada disse, apenas acenou levemente com a cabeça, mantendo as sobrancelhas erguidas.

— A senhora quer que envie as camareiras para ajudá-la a se vestir?
— Sim. Duas. E prepare um banho quente com pétalas.
— Sim, senhora.

Fazendo uma reverência, a outra saiu. A Baronesa foi novamente até o espelho e encarou sua imagem refletida por alguns segundos. Tirou as roupas de dormir, grossas e empapadas, ficando apenas com a roupa de baixo, e admirou seu corpo com um sorriso maroto. Ela se orgulhava de sua silhueta! Levou as mãos à cintura e fez uma pose desengonçada, primeiro virando um pouco para a direita, depois para a esquerda, e então proclamou em voz alta, como se estivesse em um anfiteatro, discorrendo para uma plateia entretida:

— Ah, espelho. Se você pudesse falar, o que me diria? Se eu perguntasse quem é a mulher mais bela desta terra, você quebraria as próprias leis da matéria para fazer sua moldura se curvar e sorrir para mim, e responderia: "Nesta terra, nem em nenhuma outra, há ser mais belo que a senhora!". Sim, é o que me diria, pois, de norte a sul, de leste a oeste, não há graça maior que a minha; pele mais perfeita, olhos mais amendoados, lábios mais vermelhos, cabelos mais sedosos, corpo mais viril. Se você pudesse falar, ergueria uma prece ao próprio Deus por ter depositado sua mais maravilhosa semente em um ser vivo e permitido que a Terra fosse agraciada com sua presença. Você, espelho, é a criatura mais afortunada do mundo, pois reflete minha imagem e, ao menos por alguns instantes, quando estou à sua frente, torna-se tão belo quanto eu. Se pudesse falar, você diria: "Minha senhora, por misericórdia, jamais saia da minha frente, pois assim, a todo instante, posso ser tão belo quanto a senhora!". Mas você, espelho, é só um reflexo, e não tem vida própria. E nada neste mundo é mais belo do que eu.

As camareiras chegaram para anunciar que o banho estava pronto. A Baronesa suspirou. Ela tinha a vida mais perfeita que qualquer um poderia desejar.

Naquela manhã, o dia parecia particularmente intenso. O Barão estava cuidando de alguns afazeres quando sua esposa desceu e, num tom de censura, falou:

— Mandei chamá-la há mais de uma hora.
— Precisei tomar um banho antes do café.
— Da próxima vez, você comerá sozinha!

Ante o comentário mal-humorado do homem, ela pensou que não faria muita diferença, já que também dormia sozinha e se banhava sozinha, porém não externou seus pensamentos de consternação. O Barão tinha seu próprio modo de ser e fazer as coisas. Dormir em quartos separados fazia parte dele. À mesa, ele disse:

– Recebi uma carta da tutora de Branca de Neve hoje.

– Mesmo? E o que ela diz?

A mulher tentou demonstrar interesse no assunto, pois sabia que isso agradaria seu marido, mas a verdade é que não tinha a menor vontade de saber nada sobre sua enteada. Para ser honesta, se ela nunca mais tornasse a ver a menina, não faria diferença alguma. Quem sabe fosse até melhor.

– Branca voltará para casa em um mês.

– Um mês? Tão já?

– Ela já está longe há quase dois anos.

– Sim, mas seguramente ainda há muito para ser aprendido sobre boas maneiras. Dois anos não são tempo suficiente para ensinar uma menina a se portar como uma donzela.

O Barão serviu-se de uma fatia de pão com queijo. Não percebeu o tom de contrariedade nos protestos de sua esposa.

– Pode ser. Mas o problema é que sua tutora está aparentemente doente e precisa cuidar da própria saúde. Não haverá ninguém para olhar por minha filha. Seja como for, ela informou que Branca já teve seu primeiro sangramento...

– Oh, já é uma mocinha então.

– Sim. E de acordo com ela, a mais bela do reino.

As palavras alfinetaram o ego da esposa, ainda que esta não tivesse sido a intenção.

– Você seguramente fala com o amor de pai, não?

O Barão riu:

– Não, na verdade não. Recebi duas propostas de casamento para ela, uma vinda de um conde francês. Quão afortunados somos. Nossa casa certamente irá se fortalecer em um ano ou dois, quando firmarmos laços, mas nada disso interessa de fato. O que estou curioso no momento é ver o rosto do meu anjo. Ver como a menina mais linda que já coloquei os olhos se tornou a mulher mais linda desta terra.

A Baronesa deu um sorriso amarelo. Limpou delicadamente a boca com um guardanapo de pano e pediu licença, levantando-se.

— Aonde vai? Você mal tocou na comida.

— Estou sem fome.

— Mas, e a missa diária? Está quase no horário. Você não...

— Não me sinto bem... — foi a única resposta que a mulher conseguiu dar antes de sair da sala, trombando nos móveis. Seu estômago parecia um mar revolto, e a cabeça doía como se ela tivesse respirado o ar congelante dos picos mais inacessíveis do planeta. Tropeçando nas próprias pernas, a Baronesa encostou-se em um canto e vomitou no chão. Uma serva que passava naquele exato instante foi ajudá-la, mas acabou sendo repudiada com energia e violência. A mulher voltou para seu quarto vestindo uma capa de desolação. Deixou-se cair sobre a cama como se tivesse desfalecido, seus olhos marejados de lágrimas odiosas. Em voz alta, uma praga proferiu:

— Maldita ninfa infernal que vem arruinar minha vida perfeita. Sinto repúdio só de pensar em sua presença.

Então, levantou-se de supetão e, irascível, mirou o espelho:

— Como ele ousa dizer isso? Como ousa sugerir tamanho absurdo? Oh, falácia! Mesquinharia! Hei de fazê-lo engolir suas palavras, pois aposto que, quando a carruagem dela aportar, de dentro sairá uma gárgula cinzenta, um ogro medonho, com dentes tortos e pele esburacada. Nada nem ninguém a mim se avança, nada me supera a beleza, e ele há de ver com seus próprios olhos. Que o amor paternal engula suas palavras e fique com um sabor de fel na boca.

II

As palavras da Baronesa, contudo, foram as que se provaram erradas. Sua inveja ardeu como fogo infernal quando, dias depois, um comboio chegou escoltado por três cavaleiros e, do interior de uma carruagem dourada, desceu a mais bela criatura que já pisou neste mundo.

Todos os servos ajoelharam-se diante da idílica visão, e as camareiras começaram a chorar. O vento, comovido, resolveu saudá-la e soprou naquele exato instante para que seus cabelos esvoaçassem livres e soltos no ar; fios negros que reluziam como petróleo, criando um momento de rara beleza. Os dentes, brancos e perfeitamente alinhados, abriram-se como teclas de um piano quando ela viu o pai, contrastando com os lábios vermelho-sangue em formato de coração, finos e delicados. A pele parecia ser feita do mais rico fio de seda que pudesse ser encontrado no planeta, e não tinha sequer uma única mancha, marca, pinta ou nódoa para maculá-la; era uniforme como se tivesse sido concebida pelas mãos de um mestre pintor com o uso da paleta de tintas mais suave e vibrante e tenaz e etérea de que se tinha notícia. Sua voz era de encanto sem igual, doce como um favo de mel, e os olhos azuis refletiam a calmaria do céu eterno.

O Barão a abraçou com cuidado, como quem segura uma porcelana cara e valiosa, do tipo que não se encontra similar. A própria Baronesa engoliu em seco ao ver aquele anjo diante de si segurar as bordas do vestido com ambas as mãos e ensaiar um ligeiro cumprimento, mostrando ter aprendido a fina arte da etiqueta. Ela disse de forma graciosa:

— Senhora...

E sua voz tinha o timbre das trombetas dos anjos.

— Você... — gaguejou a madrasta. — Você... está... Você está deslumbrante!

A frase saiu quase regurgitada. O Barão abraçou a filha com um braço e a esposa com o outro, sorrindo em verdadeiro estado de êxtase:

— Que dia, que dia! Cozinheiro, mate um boi para o jantar desta noite! Enviem mensageiros para todos os senhores em um raio de dez léguas. Que venham com suas famílias prestigiar a volta da minha filha! Esta noite, festejaremos até o raiar do dia.

E assim aconteceu.

Os dias passaram como cometas, e a lua cresceu, minguou e cresceu novamente. A presença da garota trouxe vida ao desgastado castelo, e todos estavam mais felizes; até os servos, até os animais. Todos, exceto a Baronesa, que via na enteada sua mais terrível rival, uma competidora que a havia destituído do posto de mais bela, do centro das atenções. Arrancara dela sem dó o pedestal que lhe fora erguido pelo dedicado marido, deixando nada além de sobras. E que ódio era aquele que aumentava ainda mais cada vez que Branca com ela conversava, sempre gentil, prestativa, fazendo favores, distribuindo sorrisos e iluminando cada cômodo em que entrava com sua beleza e carisma, sua simpatia e bondade! Ela era gentil e voluntariosa, e isto a tornava ainda mais irritante!

Foi com desprezo que, certo dia, ao observá-la brincando no jardim com outras de sua idade, a Baronesa percebeu uma opressora verdade: "Não a temem. O respeito que têm por ela é amor, não medo!". E aquela revelação, aquela epifania, a consumiu. A madrasta se deu conta de que todos a tratavam como uma estátua de gelo, uma figura que devia ser temida e agradada pelo que representava, pelo *status* que detinha e pelo mal que poderia causar, mas, ainda assim, nos corredores vazios, nos quartos distantes, na cozinha engordurada, nos estábulos e estrebarias, seu nome era mencionado com ódio e escárnio. Mas não aquela garota. Não ela...

Seu marido percebia aqui e ali os sinais de hostilidade, mas o que haveria ele de fazer? Sua esposa, eventualmente, aceitaria sua filha. Ela não tinha opção, pois Branca não iria simplesmente desaparecer. Todos os homens têm um passado, e o passado não pode ser negado. O Barão tivera uma vida pregressa com outra mulher, uma vida antes da Baronesa; outra mulher maravilhosa que o deixou com o mais caro de todos os presentes: uma filha! Não se apaga algo assim. Não se nega algo assim. Não se desperdiça. Muito pelo contrário, é uma realidade que deve ser nutrida e amada como a única verdade que importa.

Ela aceitaria a presença da outra, e todo aquele ciúme sem propósito acabaria. Sim, um dia.

A Baronesa olhou para seu espelho e passou a mão gentilmente sobre a moldura, acariciando-o como se fosse um animal de estimação. Mordendo os lábios, declamou:

— Ah, espelho, se pudesse falar, o que você me diria? Que já fui a mais bela, a mais formosa, a mais importante? Que outrora, em toda esta terra e além, mulher alguma fazia frente à minha luz, mas agora fui eclipsada por uma criatura ignóbil? Devo competir com a filha de uma morta, cuja memória foi santificada e a curta passagem neste planeta transformada em um acontecimento de proporções divinas? Como se compete com algo assim? Como se compete com as inverdades que o tempo e a saudade criam em nosso próprio cérebro? Como enfrentar a idealização, que altera a percepção de todo homem, por mais estável que seja? Meu marido, maldito seja, ama sua primeira esposa mais do que jamais me amará. E por isso ama também essa criatura infernal, que é toda sorrisos e gracejos! Oh, ódio! Oh, aversão! Quanta ojeriza! O que me diria, espelho? O que me diria, então? Diria que meu posto foi perdido e, enquanto aquela menina viver, jamais poderei recuperá-lo? Diria o que não quero escutar? É isso?

III

O Barão serviu um cálice de vinho e cortou o faisão, levando um grande pedaço à boca. A mesa era feita de madeira maciça e escura, com três metros de comprimento por um de largura. Ele estava em uma extremidade e sua esposa na outra, e, exceto por dois servos cuja tarefa era apanhar a comida que estava distante deles e servir vinho sempre que os cálices esvaziavam, estavam sozinhos na enorme câmara.

O Barão, irritado com a dificuldade de cortar a ave, abandonou os talheres e apanhou com as mãos a coxa que havia em seu prato, roendo o osso sem a menor elegância. Sua esposa parecia distante. Quieta, olhava para o vazio; a mente absorta em pensamentos mesquinhos.

– Está tudo bem? Você não tocou na comida – disse o homem.

– Estou sem fome.

Ele fez um sinal sutil para o servo, que se aproximou da mesa, apanhou a tigela com tomates, levando-a até próximo do amo, e depois afastou-se novamente, voltando a se plantar em pé como uma árvore, a três passos de distância da mesa.

– Você me negaria um pedido?

A pergunta foi uma surpresa. O homem fazia de tudo para agradar sua esposa, cujo temperamento alegre e jovial de outrora, motivo pelo qual ele se apaixonara por ela muito tempo atrás, gradativamente havia esmorecido. Aquela mulher que sorria diante do desabrochar das flores e que curara as chagas que haviam se apossado de seu coração após a morte da mãe de Branca havia desaparecido. Engolida pela monotonia da vida real. Na ânsia de tê-la de volta, o Barão a cobria com tudo o que ela desejava: as mais belas e caras tapeçarias vindas do Oriente, joias lapidadas pelos mais habilidosos ourives, vestidos costurados pelas mãos dos alfaiates mais habilidosos do reino. Tudo o que ela queria, ele dava. Seu dinheiro qualquer coisa podia comprar; mas a frustração do Barão era que, por mais que fizesse, por mais que desse e proporcionasse, por mais generoso que fosse, seu dinheiro não comprava paz de espírito para a mulher que amava.

– Jamais negaria coisa alguma a você, amada senhora. Se estiver no meu alcance satisfazer seu pedido, assim o farei.

– Preciso que sua filha vá embora!

O Barão engasgou com o gole que dava no vinho no exato momento em que a frase foi dita. Os servos, que não tinham permissão para falar, mas a tudo escutavam e, ainda que perdessem a língua jamais perderiam a capacidade de pensar, olharam um para o outro, e o tremor de suas pálpebras era suficiente para dizer o que palavras não poderiam.

– Você enlouqueceu, mulher?

– Você disse que me satisfaria!

– Sim, mas estava pensando em joias, viagens ou vestidos. Não posso mandar minha filha embora!

– Por que não?

– Ela é minha filha! Ela é tudo o que resta de sua mãe, que Deus a tenha!

A Baronesa ficou em silêncio. O ódio corroía suas entranhas; ela apertou as mãos com tanta força que o sangue foi expulso das juntas dos dedos.

– Então é isso? – rosnou a mulher como uma leoa provocada. – Você ama mais sua mulher morta do que eu? Como posso competir com uma morta?

– Não existe competição! Ela está morta, você está aqui! Você é minha esposa! Agora chega deste assunto!

– Mande-a para seus parentes no norte do país! É tudo o que peço.

– Branca ficará aqui, entendeu? Ela não irá a lugar algum! – ele rosnou, alterando a voz para um tom agressivo.

A mulher deu um tapa em seu cálice cheio e o vinho voou longe, deixando um rastro escarlate sobre a mesa!

– Branca de Neve! E que nome mais imbecil é este? Você se satisfez quando o colocou em sua filha? Sentiu-se um poeta? Oh, mas não são todos os poetas sonhadores e idiotas? Que pele você já viu tão branca como a neve? Que pobreza de figura de linguagem é essa? Você é tão medíocre que é incapaz de enxergar todos os matizes que existem e, então, simplesmente nomeia Branca; Neve; és tu, minha filha, querida! Por todos os diabos, minha pele é mais alva que a dela!

– Segure a língua, mulher! – gritou o Barão, levantando-se e esmurrando a mesa com brutalidade. A jarra de vinho virou e derramou-se sobre o faisão. Ao ver o que havia feito, o homem berrou de raiva, contraindo todos os músculos do corpo. Após extravasar, sentou-se novamente e retomou a compostura.

– Então é disso que se trata? Ciúmes? Vocês costumavam ser amigas quando ela era criança. Você penteava seus cabelos e a maquiava. Pensei que a amasse como se fosse sangue do seu sangue.

— O único sangue que importa é o meu! Não me interessa nem o dela, nem o da sua rameira morta!

O Barão sentiu aquelas palavras como se fossem uma agulha penetrando fundo em seu estômago e retorcendo. Ele lançou um olhar sobre um dos servos e depois fez um sinal com a cabeça, indicando a direção da Baronesa. O servo andou até ela, que, percebendo o que ele ia fazer, alertou:

— Criado Negro, para trás. Se você o fizer...

Sem permitir que ela concluísse a frase, o Barão gritou com energia:

— Agora, Criado Negro! Ou juro que você será açoitado e dormirá um mês ao relento!

Ante a brutal ameaça, que o servo sabia ser verdadeira, não teve segundas dúvidas e esbofeteou violentamente o rosto da Baronesa. A pancada, dada com a mão aberta, quase a derrubou da cadeira, e mal havia a mulher se recuperado, o Barão gritou:

— De novo!

E depois, novamente:

— De novo!

O terceiro tapa a fez cuspir sangue sobre os alimentos intocados que haviam esfriado em seu prato. O silêncio dominou a câmara. Criado Negro retornou ao seu lugar após receber um sinal sutil do Barão. A Baronesa manteve a cabeça baixa, sem ousar mirar os olhos do marido. Gotas de sangue pingavam de sua boca e nariz, manchando seu vestido de seda amarelo. O Barão fez menção de voltar a comer, porém, fatigado, afastou o prato e disse:

— Sua atitude não condiz com uma cristã. Você me envergonhou hoje — olhando para os dois servos, completou: — Que Branca jamais saiba de uma palavra do que aconteceu aqui hoje. Ela é inocente demais e boa demais para ter a alma maculada ao ser exposta a sentimentos tão negativos quanto ciúme e inveja.

Eles assentiram com a cabeça. O homem concluiu, antes de se retirar:

— Este assunto está encerrado. Mas cabe um aviso: se tornar a mencionar a mãe de Branca, serão as últimas palavras que sairão de sua boca. E que fique claro que eu tentei muitas vezes lhe dar uma filha que trouxesse nas veias o seu próprio sangue, mas seu útero é podre, e você, incapaz de me dar um herdeiro. Escutou o que falei, mulher? Olhe para mim quando falo com você! Seu útero é podre! E se eu soubesse disso, jamais a teria desposado.

O Barão levantou-se e fez sinal para que os servos retirassem a mesa. Sua esposa continuava estática, na mesma posição, cabeça baixa e braços desfalecidos sobre o colo. Os cabelos desgrenhados tampavam-lhe parcialmente o rosto. Em silêncio, ela ruminava uma praga, movendo os lábios sem emitir som, olhos fechados, inundada por ódio que beirava a insanidade. Ao chegar à porta, antes de sair, ele se voltou e avisou:

— Daqui a um mês, lorde Beethoven reapresentará sua quinta sinfonia no Teatro de Viena. A estreia, um ano e meio atrás, foi desastrosa, e o Maestro promete que apagará da memória de todos aquele momento constrangedor e honrará a música que fez em homenagem ao príncipe Lobkowitz e ao conde Rasumovsky. Será um acontecimento histórico, e nós fomos convidados. Partiremos em duas semanas, mas, até lá, não quero tornar a ver seu rosto. Nem uma única vez. Ficou claro?

A mulher nada disse; então, ele deu dois passos firmes na direção dela e elevou o tom de voz:

— Perguntei se ficou claro!

— Sim!

— Sim, o quê?

— Sim, meu senhor!

O Barão saiu deixando para trás uma mulher cujo ódio era tão gélido, que teria congelado o próprio inferno.

IV

— Mandou me chamar, senhora? — disse o Caçador ajoelhado diante da Baronesa. Ela estava sentada em uma poltrona de veludo em seu quarto. Em vinte anos de serviço para o castelo do Barão, ele jamais havia entrado naquele cômodo, nem quando ele pertencia à mãe de Branca de Neve, e, de fato, jamais pensou que o faria. Quando recebeu a mensagem de que a Baronesa estava a sua espera, a surpresa o acometeu, seguida de um profundo temor. O que aquela mulher poderia querer com ele? O Caçador gozava de uma antipatia natural por ela, pois identificava algo em seu olhar que aparentemente ninguém mais enxergava. Ao chegar ao quarto, bateu à porta, mas não ousou entrar. Mesmo após ter recebido o comando de sua ocupante para que o fizesse, ficou do lado de fora, com a porta aberta, ajoelhado como um suplicante.

— Entre!

Ele ainda hesitava, como se uma linha invisível traçada nos batentes o obrigasse a ficar do lado de fora:

— Não sou digno de suas acomodações pessoais, senhora. Meus pés estão sujos de lama e minhas roupas não têm o odor adequado para uma conferência com a senhora. Prefiro ficar do lado de fora.

— O que tenho para discutir com você, Caçador, não é assunto para portas abertas. Entre e feche a porta atrás de si.

Sem opção, o homem obedeceu. Ele era um verdadeiro colosso; um reservatório de força bruta e pujança contidas em uma massa corpórea. Circulavam histórias entre os servos do castelo sobre seus feitos, todos inacreditáveis, embora reais. Certa vez, quebrou o pescoço de um boi desgovernado com as próprias mãos. Em outra, enfrentou sozinho, contando apenas com a ajuda de sua faca, uma matilha de lobos famintos durante uma de suas longas incursões nas matas selvagens. Sua habilidade em caçar javalis, raposas e texugos era lendária, e nunca o castelo do Barão padeceu de falta de comida, tudo graças à sua habilidade. O Caçador era um gigante e, à primeira vista, qualquer pessoa diria que todo aquele tamanho o tornaria um homem lento e desengonçado. Este seria um engano fatal. Era hábil, ligeiro e eficiente.

A porta se fechou e, dentro da câmara, o homem sentiu-se oprimido por forças que não conseguia discernir ou explicar. Era como se a vontade da Baronesa fosse inexorável, e seus olhos, queimando como duas gemas infernais, o hipnotizassem. Ela nada disse por longos e extenuantes minutos, apenas encarando-o com ar enigmático, e o incômodo que o homem sentiu cresceu tanto que, enfim, ele se adiantou e falou sem ser questionado:

— Em que posso lhe ser útil, senhora?

O Caçador não pertencia àquele ambiente. Era um intruso em meio a todas aquelas almofadas de seda, tapeçarias importadas e esculturas de notórios artistas feitas sob encomenda. Ele era um homem simples e sem instrução, acostumado a casas de pedra e chão de barro.

— No próximo dia 22 de dezembro estarei em Viena, junto com o Barão.

— Estou ciente disso, minha senhora.

— Você receberá uma ordem para cumprir durante nossa ausência. Quero que escolte Branca de Neve em uma viagem.

— Não sabia que a senhorita iria viajar.

— Mas ela irá.

— E para onde devo levá-la?

— Você a conduzirá até a Floresta Negra.

Os olhos do Caçador brilharam e seu estômago revirou. Com o coração disparado, ensaiou um tímido protesto:

— Mas, senhora, esta é uma viagem perigosa. Levar a senhorita...

— Eu não acabei de falar!

— Desculpe-me, senhora!

— Você deve viajar com ela até a Floresta Negra, e a viagem precisa ser calculada para que cheguem lá exatamente no dia 22, quando estaremos em Viena. Lá chegando, você deverá penetrar fundo no interior da mata, somente você e a senhorita, e, então, enfiará sua lâmina no coração da menina.

O homem havia compreendido perfeitamente cada palavra, mas foi como se seu cérebro não tivesse processado o que lhe havia sido dito. Por saber que era uma pessoa de mentalidade limitada, ele julgou que tinha entendido algo errado, e perguntou com um sorriso amarelo no rosto:

— Senhora, acho que não entendi muito bem. A senhora quer que eu...

— Quero que você mate a menina com sua faca. Você não é o maior caçador do reino, Caçador? Então, cace.

— Senhora, eu não entendo. É sua filha, é...

A mulher levantou-se, tempestuosa, e rosnou como uma felina ferida:

— Não diga isso! Jamais diga isso! Ela não é minha filha!

Com a cabeça baixa, o Caçador desculpou-se, submisso. A Baronesa prosseguiu:

— Você não precisa entender, Caçador. Não precisa pensar ou julgar. Só o que precisa é cumprir.

O homem suspirou. Sim, ele era uma pessoa pueril, mas nem por isso carente de valores. Sua resposta foi tão corajosa quanto digna:

— Senhora, por mais que eu a respeite, preciso que meu senhor confirme essa ordem. Eu não poderia fazer de outra forma.

A mulher quase explodiu novamente, porém, engoliu toda sua fúria e tornou a se sentar. Cruzou uma perna sobre a outra, apoiou o cotovelo no descanso da poltrona e encostou apenas a ponta do dedo indicador em sua têmpora. O brilho em seus olhos era assustador.

— Você tem uma filha, não é verdade Caçador?

— Sim, senhora. E é por isso que não poderia fazer algo similar com a senhorita Branca.

— Entendo. Você é um homem de princípios. Deve ser um bom marido e um bom pai. Deve amar muito sua filha. Na verdade, é possível que diga a si próprio que tudo o que faz sempre será em nome de sua família. Não é assim?

Enquanto falava, a mulher levantou-se de novo e foi em sua direção, caminhando quase em câmera lenta. Ela chegou bem próxima e tocou o rosto barbudo dele com a ponta do dedo, na verdade mal chegando a relar, mas apenas arranhando-o levemente com a unha.

— Você ama sua filha, Caçador?

— Sim, senhora. Mais do que tudo no mundo.

— E como se sentiria se algo acontecesse com ela?

— O que quer dizer?

— Um acidente, talvez. Um infortúnio. Sabe como o destino pode ser maroto às vezes. Como se sentiria se perdesse sua filha?

O Caçador olhou para a mulher e ela viu, dentro dos seus olhos, um vislumbre de raiva querendo saltar para fora e agarrá-la pelo pescoço. Mas ele sabia seu lugar dentro da hierarquia do castelo, e continuou interpretando o mesmo papel submisso:

— Isso representaria a morte para mim, senhora.

O toque no rosto dele evoluiu para uma mão inteira em seu peito, espalmada e tensa, que penetrou por dentro da camisa velha, cinza e surrada, e arranhou a tez grossa. Ele jamais havia sido tocado pela Baronesa, e seus nervos estavam à flor da pele. A mulher prosseguiu:

— Então, Caçador, se quiser que sua filha tenha tudo de bom durante o resto da vida, mesmo muito tempo depois de você próprio já ter morrido, esta é sua chance. Ela será provida com tudo, incluindo educação, contanto que cumpra minhas ordens e que esta conversa jamais seja mencionada ao meu marido. Você entendeu?

— Sim, senhora.

— E agora deixo uma escolha em suas mãos. Saiba que alguém irá morrer, é inevitável. Se você for esperto, fará o que lhe estou pedindo. Se tiver dúvidas e me trair, sofrerá as consequências (ela deu um arranhão forte, rasgando lentamente a pele do peito dele). Eu não sou uma mulher que você quer como inimiga. Espero que tenha sido clara o bastante!

— Sim, senhora.

Ela voltou para sua poltrona e sentou-se. As pontas dos seus dedos ligeiramente sujas com o sangue do homem, e ela os lambeu, causando um profundo terror no outro.

— Você fará o que lhe pedi. E para eu ter certeza de que não me traiu, trará uma prova: os pulmões e o fígado da menina! Alguma dúvida?

— Não, senhora.

— Então pode se retirar. E, Caçador? Não pense demais sobre o assunto. Não o discuta com ninguém. Apenas faça o que nasceu para fazer, matar. Faça isso em nome da segurança de sua filha. Pode se retirar.

O homem fez uma reverência forçada e saiu da sala. Fechou as portas atrás de si e, sozinho, percebeu o tanto que seu coração estava disparado e o suor frio que escorria por todo o corpo. "Um demônio", ele pensou. "Acabei de ter uma audiência com um demônio."

V

O Barão não escondia seu entusiasmo à medida que a data se aproximava. Ele preparou uma viagem grande e portentosa, levando junto boa parte de seu séquito, mas, apesar de tencionar levar a filha junto, os protestos da esposa logo fizeram que mudasse de ideia. Eventualmente, Branca afirmou que talvez fosse melhor mesmo ele passar um tempo a sós com a madrasta.

— Eu ficarei bem, pai.

Ele não permitiu que aquele contratempo alterasse seu humor e, enfim, quando o momento de partir chegou, deu um forte abraço na filha e, com um sorriso no rosto, ajudou a esposa a subir na carruagem. Antes de saírem, a Baronesa pediu que Branca se aproximasse da janela. O ato surpreendeu a todos, inclusive o marido, que se sentiu temeroso com o que poderia ocorrer:

— Branca, refleti muito nos últimos dias e cheguei à conclusão de que podemos superar alguns desconfortos passados.

A menina abriu um sorriso:

— Fico muito feliz com isso, senhora. É tudo o que espero.

— Eu também. Acho que, quando retornarmos, poderemos deixar o que passou para trás e recomeçar.

O Barão, sentado ao lado da esposa, gargalhou e falou em alto, bom e claro tom:

— Não é maravilhoso?

Depois, deu duas batidas na lateral da carruagem, indicando que o cocheiro podia seguir.

Branca fez uma reverência e suspirou. Sua paciência havia sido recompensada, e a madrasta, afinal, poderia ser sua amiga, e quem sabe, um dia, talvez até sua mãe. Dentro do veículo, o Barão abraçou a esposa de forma atrapalhada e beijou sua bochecha.

— Eu sabia que você chegaria a essa conclusão, minha querida. Ah, que dia feliz. Seremos uma família de verdade, e Branca terá a mãe que não pôde ter.

A esposa tocou seu rosto de forma afetuosa e beijou seus lábios. O homem engoliu em seco e, de súbito, viu-se inundado por um profundo desejo como não sentia há muito tempo.

— Levante a saia! — ele disse.

— O quê? Aqui? — a mulher estava verdadeiramente surpresa.

— Sim, feche as cortinas — e os solavancos do carro aumentaram durante boa parte do percurso.

No dia seguinte, Branca foi informada que viajaria também. A situação foi estranha e pouco usual. Não seguiu as vias de comunicação convencionais, e seu pai, por mais excitado que estivesse por causa da sinfonia, não teria se esquecido de avisá-la sobre algo do gênero. Ainda assim, suas malas foram feitas e um pequeno corpo de guardas a escoltou, liderado pelo Caçador, um brutamontes silencioso que era tão evitado quanto admirado. Sua ama-seca foi incapaz de responder às várias perguntas feitas, até mesmo por que um grupo de cinco guardas era liderado por um homem sem formação militar como o Caçador. Ninguém parecia sequer saber para onde a menina ia. Ainda assim, a comitiva seguiu em frente.

— Ninguém irá me acompanhar? Jamais viajei desacompanhada.

— Senhorita — disse a ama-seca, sem conseguir ocultar o próprio estado de nervosismo. — As ordens foram expressas. A senhorita viajará só, sem criadas.

O dia estava bonito e não havia nuvens no céu. Branca olhou para o alto e sorriu. Sabia que seu destino estava nas mãos do Senhor.

— Que assim seja, então.

A estrada abriu seus braços empoeirados diante dos comboios. De um lado, o Barão e sua esposa rumo à redenção de um relacionamento desgastado por meio da música sublime de um gênio. Do outro, Branca de Neve e o Caçador, ambos com o coração apertado por não saber o que os aguardava ao fim da jornada.

VI

O comboio havia acampado em uma clareira, e o Caçador chamou a senhorita para andar.

— Caçador, não tenho vontade de andar no momento. Estou cansada e...

— Senhorita — ele a interrompeu —, recebi ordens expressas de levá-la a um lugar específico.

— Então esta charada finalmente será revelada?

— Temo que sim, senhorita. Mas preciso que venha comigo.

A Floresta Negra ficava cada vez mais densa à medida que avançavam. As copas das árvores escondiam os últimos feixes de luz do sol, que desaparecia no poente. Galhos e ramos entrelaçavam-se como teias vivas e ocupavam quase todos os espaços possíveis, tornando o caminhar lento e custoso. As folhas secas espalhadas pelo chão constituíam uma forração natural, um tapete amarronzado que saudava e recebia a dupla em sua jornada rumo ao estômago da mata.

A mais de seiscentos quilômetros de distância, o Barão e a Baronesa ocupavam seus lugares bem de frente para o palco do Teatro de Viena, onde alguns músicos da orquestra já se dedicavam a afinar os instrumentos e fazer os últimos ajustes antes de começar a apresentação.

— Seu humor está ótimo hoje, meu amor! — disse o homem para a gracejante esposa.

— Estou excitada.

— Sim, eu também. Não é todo dia que temos a oportunidade de ver uma sinfonia de um mestre como lorde Beethoven. Chego a sentir choques elétricos por todo o corpo. Nem acreditei quando recebemos o convite. Prevejo grandes coisas para o futuro de nossa casa daqui por diante...

A mulher sorriu. Ela também sentia uma corrente de eletricidade correndo por seu ser, impregnando-o. Aquele dia era, sem dúvida, um acontecimento!

Parte 3 – Conto inédito

    Branca de Neve estava tão cansada e confusa que não sabia mais o que fazia ali. Ela fez uma pausa e olhou para o enorme homem que tinha diante de si. Nada parecia se encaixar, e a estranheza da situação começou a imputar medo em seu coração palpitante. Cansada de todo aquele jogo, fazendo valer o sangue nobre que corria em suas veias, ela usou seu tom de realeza e chamou a atenção do Caçador:

    – Estamos andando há horas. O sol provavelmente já se esconde no horizonte e a mãe lua virá ninar as criaturas da noite. Meus pés doem e meu corpo está cansado. Não darei mais um passo enquanto não souber de que se trata isso tudo, Caçador!

    O homem, que estava poucos metros à frente dela, parou. Virou-se para trás e seus olhos eram cinzentos como os de um lobo. Com descaso, alertou:

    – Estamos quase lá!

    Mulheres sorriam e se pavoneavam enquanto ocupavam os lugares marcados, com seus vestidos polpudos e coloridos, joias, leques e binóculos. Os maridos e seus bigodes grossos, testemunhas de intrigas e ardis, pináculos sociais e decadentes, falavam pelas costas uns dos outros e reconheciam de longe as donzelas que já haviam estado em suas camas. Um círculo completo se fechava, como uma cobra abocanhando o próprio rabo. Os violinos tinham acabado de ser afinados quando a Baronesa perguntou ao marido:

    – A afinação parece diferente.

    – Sim, a sinfonia é em dó menor!

    – Dó menor?

    – Brilhante, não? Mal posso esperar para saber o que aguarda nossos ouvidos. Gostaria muito de ter vindo para a estreia, mas fico feliz por podermos estar aqui hoje.

    – Por quê?

    – Prioridade, acredito eu. Escutar uma sinfonia como essa é algo que fica gravado para sempre em nossa mente. Talvez até na própria alma. São momentos como esses que nos fazem agradecer por estarmos vivos.

    A mulher sorriu:

    – Sim, certas coisas devem ser prioritárias – e, em seu íntimo, pensou: "Dó menor. Quão apropriado...".

    – Estou cansada! – disse Branca de Neve. – Já chega! – e sentou-se sobre um tronco caído, coberto de musgos e viscos.

Caçador olhou ao seu redor. As árvores milenares cochichavam algo, mas ele não conseguia entender o que diziam. Não havia animais, nem esquilos, nem insetos, nem cobras, nem pássaros. Todos haviam partido, como se, pressentindo o que estava por vir, não quisessem tomar parte de tão ignóbil ato.

— Acho que aqui já basta— ele disse, conversando consigo mesmo, e levou a mão à cintura, buscando o cabo de marfim da sua lâmina.

— O último sinal! — disse o Barão, sem conseguir conter sua excitação ao escutar a campainha que anunciava a última chamada para o início do concerto. Enquanto folheava o programa com avidez, percebeu que estava ofegante e com a pele gelada. Seu estômago era uma revoada de borboletas.

A Quinta Sinfonia. A luta do indivíduo contra o destino: vontade *versus* predeterminação! A jornada da existência do ser, que passa por uma miríade de conflitos, esperanças, desesperos, reconfortos, desalentos, até a chegada da vitória final. Uma hecatombe. Luzes apagadas.

Escuro! Mas, mesmo na escuridão, Branca conseguiu ver a lâmina prateada sendo removida lentamente da bainha na cintura. O inconfundível som de metal raspando feriu seus ouvidos, mas o nó em sua garganta impediu que ela gritasse. *So pocht das Schicksal na die Pforte*. Assim bate o destino à porta. Foi como Beethoven definiu as quatro primeiras notas do andamento inicial, o *Allegro con brio*. Todos as conheciam, mesmo quem jamais escutara o concerto inteiro. Quatro notas! Elas representavam a maior introdução já composta na história da música.

As palmas das mãos do Barão suavam. Músicos a postos. O coração da Baronesa disparou; seus pensamentos perdidos na Floresta Negra. Flutuando entre o que acontecia lá e cá. O Maestro estava no palco sob uma chuva de aplausos; os cabelos caindo-lhe sobre a testa, a gola pressionando-lhe a traqueia, uma batuta fina na mão. Branca premiu os olhos. O Caçador contraiu o bíceps, levantando a lâmina acima da cabeça. Os raios do sol há muito haviam se escondido quando a batuta desceu.

Força criadora!

Trompas gritam com poder esmagador diante de uma plateia extasiada. Os olhos do Barão sangram uma lágrima, enquanto as frases melódicas entrelaçadas se derramam como se tivessem vida, como se fossem porções concentradas de pensamento, como se a própria essência da existência tivesse tomado uma forma perceptível e acenado com um sorriso e um som.

O golpe passa no vazio, cortando apenas tecido, e a lâmina crava seus dentes no tronco podre, promovendo um estouro de lascas. Branca rola para o lado e afunda em uma poça de lama e degradação. Seus pulmões tentam saltar para fora do corpo, enquanto ela corre sem direção. A Baronesa fecha os olhos e divaga com a suavidade que as cordas oferecem, logo após os acordes abruptos que conduziram toda a peça a uma inesperada pausa. O tema é repetido, mas sem verdadeiramente se repetir, num firme *crescendo*, em palpável tensão, na cachoeira de ira e desabafo de todos aqueles que lutam contra as desgraças da vida. Frenesi! Os galhos tentam segurar o corpanzil do Caçador e dar chance à pequena menina, que passa correndo por entre suas raízes, rolando, caindo, estrangulando a dor de pisar em espinhos e pedras pontiagudas, ignorando os arranhões em sua carne que mancham a pele imaculada. A energia do Maestro contagia o teatro, sua mão pressionada com firmeza dá um comando, e faz tremer o teto quando sopros alternam seus gritos com as cordas por trinta e dois compassos de acordes breves, até que o uníssono explode, executado por toda a orquestra. O Barão salta da poltrona, seu peito vibra com as notas, suas lágrimas são a expressão do contato com o Divino. A Baronesa abre os olhos. A Floresta lamenta. Branca encurrala o corpo contra uma enorme pedra. O Caçador surge de um amontoado de ramos, deixando atrás de si um rastro de destruição. Não há para onde correr. É o fim da primeira parte. A música cessa e as palmas invadem o auditório de forma ensurdecedora.

– Pare! – grita a menina, insurgindo-se contra aquela força de ruína e aniquilação, tão maior que ela própria, tão mais poderosa e inexorável. Rebelando-se contra seu destino, decidido por outrem, ela atua. Ela assume. Ela impõe.

As palmas duram quase dois minutos. Mimetizado, o público senta-se novamente. As violas e os violoncelos começam, deslizando com acordes angelicais, até que os sopros irrompem num inesperado *fortíssimo*. A Baronesa arranha o próprio braço em êxtase enlouquecedor, morde os lábios e suspira. Seu desejo não lhe será negado. O braço do Caçador se detém em pleno ar, como se anjos anunciados pelas trombetas o segurassem. Os violoncelos e baixos atuam agitados, enérgicos, e gradualmente são reforçados pelos violinos. A massa sonora cresce. Começa a curva ascendente, com intervalos cada vez maiores, até chegar ao acorde de sétima dominante. Maestro vibra com o poder de sua criação. Ele comanda com a graça de um capitão e autoridade ainda superior. O Barão move sua cabeça, olhos fechados, imerso no momento, acompanhando a entrada da marcha do último *Allegro*, em dó maior. Que alternância maravilhosa. Os olhos apavorados da menina cruzam com os do Caçador e encontram a piedade que neles estava escondida. Lucidez! Questionamento! Racionalização! Sentimentos! A lâmina abaixa totalmente. O destino dá um rodopio, irado por terem se interposto em seu caminho. Os músicos suam, pingam, suas testas queimam; eles também estão em estado de graça. A tensão geral começa a aumentar. Branca se levanta, e sua altura não passa da barriga do homem. A donzela e a fera são um só. A curva perfeita sobre o acorde da dominante de sol, o grito de liberdade dado sem a emissão de um único som dentro das entranhas da Baronesa, satisfeita com as imagens que vê em sua mente, enquanto os violinos executam um desenho de quiálteras. A transição. O Barão segura firme a mão de sua esposa e a pressiona. Três movimentos já foram, eles estão no último. Não há mais ar no auditório. Arrebatamento! Ápice! Apoteose! Repete-se a grande marcha da alegria. Branca consegue respirar. O fim se aproxima. Perfeição! A faca está novamente na bainha. A batuta, abaixo da linha da cintura. Uma violinista limpa uma lágrima. Momentos que definem a vida. As palmas recomeçam, ensurdecedoras. O cheiro doce das flores, amarelas, brancas, vermelhas, azuis, todas entregues no palco em homenagem ao talento de um gênio, inunda o teatro. A Baronesa chora, preenchendo com deleite os vazios do seu coração. O Maestro agradece. Recompensa!

– Siga-me! – diz o Caçador.

Branca fecha os olhos e dá um suspiro. O primeiro desafio contra seu destino ela vencera, mas o perigo não havia acabado! Maestro se curva uma última vez. O palco está vazio.

– Vamos! – o Barão, ainda tomado por alucinógeno delírio, conduz a esposa para fora do teatro.

VII

A noite caiu com velocidade. A mata ao redor deles, envolta em uma capa de alcatrão, parecia viva, cheia de sons e movimentos. A copa das árvores escondia o céu estrelado e, de forma muito tênue, era possível ver a luz azulada da lua incidir por entre os galhos densos. O Caçador sentou-se no chão, recostado a uma árvore, e nada disse por um longo tempo. Ele estava perdido nos próprios pensamentos, consumido por uma alta dose de culpa, medo e vergonha. Branca não havia se aproximado muito do homem, pois seu coração ainda palpitava de medo por conta dos eventos anteriores. Ao mesmo tempo, não queria ficar muito longe também. A Floresta Negra, à noite, era assustadora, orgânica e opressora.

De repente, o homem fungou, fazendo-a perceber, apesar de toda aquela escuridão, que ele estava chorando.

— Caçador. O que foi que aconteceu aqui? De que se trata isso tudo? Por que tentou me matar?

Ele engoliu os soluços e limpou as lágrimas antes de responder:

— Sua madrasta, senhorita. Ela arquitetou esta empreitada pelas costas do seu pai.

As coisas começavam a fazer algum sentido, mas aquilo ela já adivinhara por conta própria. Ainda assim, incomodada, Branca queria suprir as lacunas:

— Como ela convenceu os guardas? E minhas criadas? Minha ama-seca?

— Eles nada sabem. Muito menos as criadas, que a amam de verdade e com todas as suas forças.

— E você? Qual é seu papel em toda essa trama? — a menina deu um passo na direção dele e ajoelhou-se perto demais daquele que teria sido seu algoz, mas intrigada com o quebra-cabeças que desvendava.

— Eu devo levar seus pulmões e fígado para comprovar sua morte.

Branca sentiu um tremor correr por todo o corpo com tamanha e tão visceral honestidade. Sentiu como se um espírito vindo das profundezas do Hades tivesse dado um beijo em sua nuca. Ela está no Flegetonte, o rio de fogo fervente, no Sétimo Círculo do Inferno, ao lado dos violentos. Tentando ser forte e manter a compostura, a garota respondeu:

— Nunca pensei no senhor como um assassino de garotinhas, Caçador, mas sim em um homem honrado.

— E eu sou! — rosnou o outro.

— Como pode dizer isso se me arrastou até aqui para arrancar-me os órgãos a facadas?

— A senhorita continua viva, não?

Branca fez uma pausa e olhou ao seu redor. O mundo que vivera até então, aquele conto de fadas de uma menina rica que tudo tinha, tão vívido, suntuoso e brilhante, sofrera uma brutal transformação. A realidade à sua volta parecia agora um buraco negro tentando abocanhá-la, tentando arrastá-la para seu núcleo onde a luz não consegue penetrar. Ela está no Cócito, o rio de gelo, no Nono Círculo do Inferno, ao lado dos traidores.

– E agora? – ela indagou.

– A senhorita não pode voltar.

– O quê? Como assim? Eu preciso voltar. Devo alertar meu pai sobre essa mulher e o que ela tentou fazer comigo! Como posso permitir que uma pessoa má como essa esteja ao lado de meu próprio pai?

– A senhorita não entende. Se a Baronesa vir que a traí, ela matará minha própria filha.

– Então é disso que tudo se trata? Da proteção à sua filha? Foi assim que ela o convenceu?

– É uma mulher muito perturbada essa sua madrasta, senhorita. Mas é também uma serpente tão cruel quanto astuta. Se contrariada, ela é capaz dos atos mais ignóbeis para conseguir o que deseja.

Compreendendo as últimas peças que agora se encaixavam, Branca respondeu:

– Não tema, meu pai a protegerá.

– Senhorita, sua madrasta tem o coração envenenado pela inveja, a mente perturbada pelo desejo e o espírito corrompido pela fúria. Sua vontade é implacável, e temo que nem mesmo seu pai possa ter alguma ascendência sobre ela. É uma mulher tão mesquinha, que temo que, ainda que o Barão a condenasse à morte, ela daria um jeito de concretizar seus planos para matar minha filha, e fazer valer suas palavras. Decerto suas pretensões já estão em andamento. A Baronesa não é o tipo de pessoa que faz ameaças vazias. Ainda que fosse condenada ao além, ela encontraria uma maneira de cravar as garras em minha inocente filha nem que ela própria tivesse que ser cuspida do inferno para fazê-lo.

– Você não tem certeza disso!

– Nem a senhorita!

O impasse era claro. Não havia certezas, apenas suposições. Mas isso não mudava o fato de que vidas inocentes estavam em jogo. Ela estava no Estige, no Quinto Círculo do Inferno, ao lado dos irascíveis e invejosos, e de longe avistava Flégias vindo buscá-la.

Tomado pela emoção, o homem atirou-se aos pés da menina, como se repentinamente tivesse se lembrado de que ela era sua senhora, e chorou tal qual uma criança:

— Por favor, senhorita. Sei que seu coração é bom e justo. Por favor, não arrisque a vida da minha filha. Eu a poupei, senhorita. Peço que retribua esse favor que lhe fiz.

Branca, cujo coração realmente era grande o suficiente para abrigar o mundo inteiro, sentiu-se tocada por aquele aspecto da personalidade do homem, provavelmente jamais visto por ninguém. Ver a fragilidade do gigante era uma experiência distinta, e foi impossível não se comover. Ainda assim, ela tentou racionalizar:

— Meu pai retornará de Viena em poucos dias. O que acha que ele fará quando não me encontrar?

— Isso é algo que diz respeito a ele e sua madrasta, senhorita.

— Você não entende? Na certa não está pensando direito. Foi você quem me trouxe em uma viagem não autorizada por ele. Todos no castelo devem estar questionando a natureza desse ato. Quando voltar sem mim, a culpa recairá sobre você, e mais ninguém. Será sua palavra contra a da Baronesa.

— Se esse for o preço a ser pago para que minha filha fique segura, eu o pagarei com prazer.

— Você será morto.

— Não temo a morte!

Branca, com sua mente instruída, via opções na situação, mas o mesmo não podia ser dito do homem, embotado pelo medo de perder aquilo que mais amava.

— Pois bem, que assim seja! — disse a menina. — Você me poupou, portanto, devo-lhe um favor. Gostaria que percebesse que há alternativa, mas não insistirei no assunto. Prometo não retornar à casa do meu pai, ainda que tema pela segurança dele.

Aliviado, o homem agradeceu:

— Obrigado, senhorita. O céu recompensará sua bondade. E não tema por seu pai. O Barão sabe cuidar de si próprio.

A jovem olhou ao seu redor e disse:

— Para onde vou?

— Siga sempre em frente por aquela trilha (o Caçador apontava para uma trilha que, aparentemente, só ele conseguia ver, pois Branca enxergava um amontoado de mata fechada). Você evitará os caminhos dos animais selvagens e sairá do outro lado da mata após uma caminhada de poucas horas. Tome a estrada na direção sudeste até chegar a um povoado.

Não deve se identificar para ninguém. Assim que possível, troque suas roupas com as de uma camponesa comum; não deverá ser difícil. Deixe o país o quanto antes e recomece a vida em outro lugar. Linda como a senhorita é, várias oportunidades se desvelarão para si.

Tomada por uma sensação de desalento, Branca começou a caminhar timidamente na direção que ele apontara. De repente, ela se deu conta do tamanho da empreitada que tinha diante de si, de tudo o que estava deixando para trás e do ranço que amargava sua boca por ter abdicado da chance de levar justiça à sua madrasta. Quisera ela não ter dado sua palavra; porém, já o fizera, e agora não tinha mais volta. Ela gostaria de estar no rio Lete, no purgatório, onde poderia tomar um gole de sua água, apagar todas as suas memórias e ser purificada. Mas não podia. Qual era a vantagem de recomeçar quando a mente se lembrava de tudo, de cada mínimo detalhe, de toda uma vida pregressa? Não é esse um desafio hercúleo, talvez o maior de todos?

Antes de perdê-la de vista em meio aos arbustos, o homem falou em voz alta:

– Senhorita, lembre-se: você prometeu!

Ela deu uma última olhadela para trás e respondeu:

– Sim. E irei cumprir!

Então, afastou-se e não demorou muito para que até mesmo os sons de seus passos ficassem tão distantes a ponto de não chegar mais aos ouvidos do homem. Ele ficou estático, no mesmo lugar, durante muito tempo, pensando em toda a situação e no que poderia fazer. Concluiu que a menina estava certa. A Baronesa o usaria como bode expiatório para se isentar de toda culpa, e o entregaria nas mãos do Barão, um pai irado, cuja sede de vingança seria implacável. Mas aquilo não o incomodou de fato, pois só o que pensava era na segurança da própria filha. Ele precisava levar provas da morte de Branca de Neve e garantir que a Baronesa cumpriria a palavra, ou tudo aquilo teria sido em vão.

Súbito, o barulho de um galho seco estalando chegou aos seus ouvidos. Em princípio, ele pensou que a menina tivesse voltado, mas logo o vento trouxe um odor forte às suas narinas, parecido com um tapete úmido e mofado. Era um pequeno cervo, que se aproximava com o focinho próximo do chão e uma atitude inocente, provavelmente desgarrado de sua mãe. Ao vê-lo, os olhos do Caçador encheram-se de lágrimas pela segunda vez naquela noite. "Senhor Destino", pensou o homem, fazendo uma prece silenciosa. "O Senhor é tão gentil, até mesmo com os ímpios...", e tirou com cuidado a faca da cintura.

VIII

O Barão desceu de sua carruagem e questionou os criados ao ver que Branca não estava presente para recepcioná-lo:

– Onde está Branca de Neve? Onde está minha filha?

Ninguém ousava responder. Ele segurou uma das camareiras pelos braços e, em um acesso de descontrole, a sacudiu com violência, repetindo sem parar a mesma pergunta, até que sua esposa o acalmou e sussurrou em seus ouvidos:

– Calma. Eu cuido disso. Por favor, vá para o seu quarto, pois a viagem foi extenuante. Descanse, conversamos no jantar.

O homem, apesar de contrariado, largou a frágil criada, jogou o manto vermelho que trazia ao pescoço por cima do ombro e entrou sem dizer outra palavra. Quando ele sumiu de vista, a Baronesa perguntou à mulher:

– O Caçador já retornou?

– Sim, minha senhora. Chegou ontem à noite, porém a senhorita não estava com ele. Estamos todos preocupados, pois ambos empreenderam uma viagem muito suspeita.

– Procure-o e peça que vá aos meus aposentos imediatamente.

A mulher deu meia-volta e entrou satisfeitíssima com o curso dos acontecimentos. Espreguiçou-se na cama como um felino tomando sol. Não demorou muito para que duas batidas sólidas em sua porta anunciassem que o Caçador havia chegado. Desta vez, ao receber ordem para entrar, o homem não ficou do lado de fora temeroso, mas ganhou o quarto com firmeza e confiança e fechou a porta atrás de si. Ele trazia nas mãos uma pequena caixa de madeira polida.

– Isso é o que penso que é? – questionou a Baronesa.

– Sim, senhora. Conforme pediu.

– Ótimo. Leve imediatamente para o Cozinheiro. Mande que ele prepare um belo cozido com batatas e cebolas e sirva no jantar esta noite.

A revulsão que o homem sentiu não o afetou desta vez. Esperava qualquer coisa da mulher, tanto que apenas acenou positivamente com a cabeça.

– Você está dispensado! – ela avisou ao ver que o homem não sairia espontaneamente do quarto.

— Há outro assunto que preciso discutir com a senhora — alertou o homem.

— Sou uma mulher de palavra. Sua filha ficará bem.

— Não se trata disso.

— Então, o quê? — a Baronesa pareceu intrigada.

— Permita que eu fale com franqueza?

Ela consentiu com a cabeça.

— Eu retornei de viagem sem a filha do Barão. Ele pedirá minha cabeça por isso.

Ela deu um sorriso maroto, como se a questão não tivesse a menor importância.

— Ah, isso? Não se preocupe...

— Senhora, perdoe minha insistência, mas é um assunto pertinente. Preciso saber meu futuro. Preciso saber se enfrentarei a forca. Minha família...

A Baronesa, que estava ainda deitada, ociosa, na cama, sentou-se de supetão e projetou o corpo para a frente, rosnando:

— Jamais torne a me interromper enquanto eu estiver falando, lacaio. Perdeu a noção de qual é o seu lugar?

O tom dela foi mais que autoritário. Foi agressivo. Mas não bastou para dissuadi-lo de obter dela uma posição.

— Desculpe-me, senhora. Mas eu preciso de uma resposta. Não pretendo trair nosso pacto, mas se for enfrentar a forca, precisarei fazer ajustes para que minha família fique bem.

— Como acabei de dizer, não se preocupe. Você não será morto. Mas, pensando bem, acho que seria uma boa ideia ficar fora da vista do meu marido nas próximas horas. Pode deixar que eu cuidarei do Barão.

— Sim, senhora.

Sabendo que argumentar além seria inútil, o homem fez uma reverência e se virou, ensaiando sair da câmara, quando ela o chamou de volta:

— Caçador, na verdade há algo mais que você deve fazer por mim antes que eu dispense seus serviços.

Ela foi até a cômoda, abriu a primeira gaveta e tirou um pequeno invólucro de vidro transparente. Dentro havia um líquido amarelado.

— Quando levar o que lhe pedi para o cozinheiro, certifique-se de colocar isso dentro do vinho do Barão.

— Sim, senhora. Posso perguntar o que é, senhora?

— É a diferença entre sua vida ou morte, Caçador. Agora, deixe-me!

O homem apanhou o frasco e saiu. Como poderia ele saber que aquele pequeno invólucro continha um veneno mortal ao ser humano, retirado de um peixe que vive nas distantes águas asiáticas? Por fora, um animal simples e inofensivo; por dentro, a morte! Sim, o Caçador não sabia o que era aquilo, porém, em seu íntimo, tinha certeza de que não podia ser nada de bom. Suas opções eram claras: vida para si em traição, ou morte para si em honra. Mas já não havia sido sua honra maculada ao deixar uma donzela sozinha na floresta à própria sorte?

Ele olhou para o pequeno frasco, e mais de uma vez pensou em engolir ele próprio seu conteúdo, mas faltou-lhe coragem. A língua áspera e venenosa da Baronesa e seus olhos faiscantes perseguiam-no como um fantasma. Com as mãos trêmulas, guardou o pequeno vidro dentro do bolso e, cabisbaixo, foi em direção à cozinha.

A Baronesa, sozinha em seu quarto, sabia o que aconteceria daquele ponto em diante. O jantar seria servido. Seu marido tomaria o vinho envenenado. Ele agonizaria por algumas horas, mas nem mesmo o médico mais eficiente do mundo poderia poupá-lo de seu destino. Não demoraria muito para ela ser a soberana absoluta do castelo.

Ela foi até o espelho e sorriu. Seu reflexo parecia mais jovial que antes, o rosto mais corado, a fisionomia mais feliz.

— Ah, espelho. Se você pudesse falar, o que me diria? Não sou eu a mais bela que existe agora? Mas, além de bela, não sou também a mais poderosa de toda essa terra? E além da mais poderosa, não sou também a mais inteligente e ardilosa? Quem fará frente a mim?

Ela se aproximou do vidro e fitou os próprios olhos profundamente:

— Não sou eu a mais temida?

E sua voz foi um tufão gélido que cruzou o ar e reverberou por todo o quarto.

IX

Quando Branca de Neve se afastou do Caçador, a floresta a engolfou em seus braços e a acolheu como sua igual. Isso não a impediu, contudo, de experimentar um sensível pavor com as criaturas noturnas que passavam voando próximas à sua cabeça e os uivos distantes que ecoavam na escuridão. A mata parecia escrutiná-la com olhos rubros, sedentos de sangue.

De repente, em uma materialização clara de seus sentimentos e temores, ela passou rente a um espinheiro, que beijou seu braço desnudo, deixando uma linha vermelha.

"Sangue?"

Ela pensou, surpresa com a sensação.

"Meu sangue?"

Era a primeira vez que Branca se feria de verdade. A primeira vez que sua pele era maculada, e o líquido que dá vida a todos brotava do seu corpo de forma não natural. A visão escarlate a fez engolir em seco e seus olhos marejarem. Mas, antes que a noite acabasse, para sua desgraça, ela quase se acostumaria com aquilo. Outro passo levou a um arranhão em seu rosto, rasgando-o na bochecha, e um terceiro desfiou sua saia.

Quanto mais ela avançava, mais a floresta cobrava seu amargo pedágio. Não demorou muito para que seus calçados, inapropriados para aquele ambiente ferino, se desfizessem e ela tivesse que pisar diretamente no chão cheio de lascas de pedra, gravetos partidos, raízes duras e espinhos protuberantes, que laceraram a planta de seus pés e os deixaram em carne viva.

A trilha apontada pelo Caçador, talvez óbvia para ele, porém um mistério para ela, transformou-se num hórrido emaranhado de galhos que davam as mãos uns aos outros e compunham um ambiente tão denso, que sequer o vento conseguia passar.

Ela caminhou por horas sem parar, com a sensação lúgubre de estar andando em círculos, lutando para impedir que a melancolia e a angústia, esses sentimentos tétricos que acompanham a própria doçura da morte, se instaurassem em seu ser. Quando possível, corria por alguns metros, mas a maior parte do tempo precisava abrir caminho na força bruta, empurrando ramos, passando por sob arbustos, batendo e chutando. Não demorou muito para que sua musculatura a traísse, não porque desejava, mas sim por estar despreparada para enfrentar uma empreitada como aquela. Suas pernas simplesmente não conseguiam seguir em frente.

Por três vezes antes que a noite findasse ela se sentou e chorou, encolhendo-se contra uma árvore ou sob uma moita. Os movimentos noturnos de predadores foram os únicos estímulos para que levantasse e se mexesse, pois o medo de ser devorada viva superava seu cansaço. Em dado momento, chegou a pensar que os lobos a estavam caçando, pois seus uivos pareciam estar sempre se aproximando, não importava o quanto ela andasse e em qual direção.

Quando o dia raiou, Branca sentiu um enorme alívio, porém, ainda assim, não conseguiu descansar. Foi uma enorme tentação fazer uma cama de liquens e musgos, deitar-se e dormir por algumas horas, concedendo a si própria uma chance de se restabelecer, porém, seu lado racional a impediu. A garota sabia que suas únicas chances de sair dali eram enquanto estivesse claro. E mais, sabia também que não sobreviveria a mais uma noite na mata, sem água nem comida. Não, ela tinha de encontrar uma saída dali, e precisava ser rápido, enquanto ainda lhe restavam forças para tanto.

A urgência a manteve em fluxo, ainda que não tivesse o menor senso de orientação. O sol já brilhava alto e firme no céu, e mesmo dentro da floresta era possível sentir o vigor de seus raios ao meio-dia, quando as coxas da garota deram um grito alto de dor e exaustão e ela caiu de joelhos, incapaz de seguir em frente. Os cabelos negros pendulavam sobre seu rosto, fios grudados na testa suada e cachos repletos de folhas secas. Os pés eram uma massa disforme de sangue e terra; os braços, mãos e rosto repletos de arranhões; as roupas transformadas em trapos.

O sentimento era de perda.

Por toda sua vida, privada do contato com a dor, protegida do sofrimento e da consternação, ela agora via a proximidade real da morte. Seu pesar eram grilhões que ela arrastava com dificuldade: um calvário! A cada passo dado, mais pesados os grilhões ficavam.

Enfim, quando toda esperança já havia desaparecido e mesmo sua personalidade otimista lastimava a crueza do destino, ela teve a impressão de que a floresta dava indícios de se abrir. Apareciam buracos nos galhos pelos quais a luz penetrava com maior densidade, relva crescia no chão, e um pequeno planalto começava a se formar. Ela seguiu sempre em frente, tentando acompanhar as brechas aqui e ali na mata, e acabou desembocando em uma clareira. Era um campo aberto, na verdade uma área claramente desmatada de algumas centenas de metros e, bem no centro, uma visão acometeu Branca de surpresa: havia uma casa. Do lado oposto ao que ela estava chegando, era possível perceber uma pequena trilha que desaparecia na mata por onde só passava uma pessoa por vez. Na área desmatada, a jovem identificou um poço perfurado, animais domésticos soltos e bastante lenha empilhada.

Tonta pela falta de comida e água e desgastada pelos ferimentos e pelo cansaço, Branca cambaleou até a rústica moradia, feita de barro e pedra cortada. Embora tivesse uma vida inteira de mordomias, acostumada a dormir em camas macias e cobertores felpudos, ao entrar (a porta estava destrancada), a construção lhe pareceu o lugar mais acolhedor que já tinha visto.

A mesa estava posta com sete jogos de pratos e copos, mas não havia ninguém, nem comida alguma. Ela encontrou uma jarra de bronze cheia de água fresca e tomou o máximo que conseguiu. Do lado direito, havia um fogão de barro, um armário tipicamente campesino e uma lareira, com um pouco de lenha amontoada. Em um quarto contíguo, sete camas. Não havia banheiro.

Vencida pelo cansaço, a garota deixou-se cair no primeiro leito e dormiu um sono pesado, porém agitado, cheio de pesadelos senis e selvagens.

A noite já havia caído quando Branca acordou violentamente, tendo sua boca tampada por uma pesada mão, e seus braços e pernas seguros com firmeza. O susto a fez estrebuchar de medo, mas não conseguiu se soltar. A primeira sensação que teve ao despertar foi de desorientação. Não sabia onde estava, e guardava poucas memórias das últimas horas, como se tudo tivesse sido um borrão, apenas uma malfadada experiência. Suas narinas captaram um forte odor de ferro, mas a escuridão não permitiu que definisse nada além de vultos turvos. Uma voz rouca e nervosa fez uma indagação no mesmo instante em que ela sentiu uma lâmina ser pressionada contra sua garganta:

— Quem é você?

A pressão da afiada faca imputou uma nova qualidade a todo o medo que sentira até então, e seu corpo congelou. Nem os uivos dos lobos, a escuridão infernal da mata ou mesmo a perseguição do Caçador fizeram que ela se apavorasse tanto quanto sentir aquele sólido aperto do metal frio contra sua carne, enquanto várias figuras se debruçavam sobre seu corpo esguio. Súbito, uma lamparina acendeu e o horror invadiu seu corpo.

Ela estava cercada por sete homens, brutos, sujos, malcheirosos, cheios de cicatrizes no rosto. Eles vestiam peles de animais, tinham cabelos compridos e malcuidados, pele curtida e face barbada. O que tampava sua boca parecia um urso de tão grande, e seus olhos eram duas agulhas negras, penetrando-a. Ele removeu a mão com relutância para que ela pudesse responder à pergunta. Gaguejando, a garota disse:

— Eu... eu não sou ninguém.

O outro, que segurava a faca contra seu pescoço, aumentou ainda mais a pressão e rosnou com uma voz de taquara rachada:

— Então ninguém irá sentir falta de ninguém!
O primeiro alertou:
— É melhor começar a falar, moça. Não temos paciência com rameiras que invadem lares.
— Não sou rameira — ela respondeu, tentando empregar alguma dignidade à frase. — Sou apenas uma garota, enviada à mata para ser morta por conta do ciúme de uma madrasta cruel. É a mais pura verdade.
— Que história mais absurda é essa? Acha que somos idiotas, crianças? Você vem de onde?
— Bavária!
— Está bem longe de casa, menina.
O homem, que parecia ter voz de comando sobre os demais, emendou:
— Soltem-na.
Ninguém questionou a ordem. De imediato, os outros soltaram seus membros e a faca foi afastada do pescoço. Ele perguntou:
— Quanto tempo passou na Floresta Negra?
Tentando se recompor ao menos um pouco, ela ergueu o tronco sobre os cotovelos, mas quando foi se levantar, o homem pousou a pesada mão sobre seu peito, impedindo-a. Branca sentia-se indefesa naquela situação, mas não era só isso. Não sabia explicar o motivo, mas ali, naquela casa rústica, cercada de homens rudes, deitada na cama de um deles, o que acometia seu ser era um sentimento de vergonha. Uma tribulação, via--crúcis, desgosto e angústia. Respondeu à pergunta:
— Uma noite e um dia.
Um deles, de cabelos ruivos e olhos azuis, caiu na gargalhada e disse:
— Pelo seu estado eu diria que passou um mês. Como conseguiu se machucar tanto?
A garota deu de ombros, tratando a pergunta com descaso. O líder, que estava sentado na cama, olhou para o amigo e ralhou:
— Não vê que é uma donzela?
— Donzela? – disse o outro, intrigado.
— Sim. Por baixo dessas roupas rasgadas e dos cabelos desgrenhados, temos uma pequena e jovem donzela.
Súbito, aquele que pouco antes estava com a faca em seu pescoço, enfiou a mão por dentro das roupas dela e apertou com força seus pequenos seios, falando:

— Nunca tive uma donzela na vida. Será uma boa experiência.

Branca congelou. Jamais tendo sido tocada de forma parecida, ela não soube o que fazer, o que dizer. Sequer teve forças para afastar a mão do homem. A vergonha tornou-se violação. Mas o líder tomou a dianteira e interferiu. Segurando o homem pelo punho, puxou sua mão para fora do vestido e alertou:

— Ninguém toca na menina.

Os outros pareceram não ter problemas com a ordem, mas este último se levantou com raiva no olhar e chutou a cama ao lado. Ainda com a faca nas mãos, bradou com extrema agressividade:

— Você não me dá ordens. Desde quando resolveu dar ordens? Não recebo ordens de ninguém! Há meses não tenho uma mulher e, pelos deuses, juro que a terei!

O silêncio caiu sobre a cabana. Os demais se afastaram, liberando espaço para a dupla. Branca observou o líder se levantar lentamente e, enquanto o fazia, tirava da cintura um enorme facão que reluziu à luz da lamparina. O coração dela disparou. Encarando com firmeza o agressor, ele falou com a fisionomia plácida de alguém absolutamente tranquilo, e não como uma pessoa prestes a se envolver em um confronto de facas:

— Você vai me desafiar? Está pronto para isso?

O outro estava com a faca erguida, mas o líder mantinha seu facão abaixado. Ainda assim, sua postura era bem mais confiante que a do oponente, que chutou mais uma vez a cama, deu dois rodopios em torno de si mesmo, praguejando, e, enfim, abaixou a cabeça. Guardou a faca na cintura e então soltou uma tremenda gargalhada, que foi mimetizada por todos os outros homens.

Branca notou que a tensão erguida no ambiente mudou da água para o vinho em poucos segundos. Os homens estavam agora alegres e corteses uns com os outros. O líder discursou em um tom eloquente:

— Ouçam todos. A garota está ferida e assustada. Deve estar faminta. Foi vítima de tentativa de homicídio e abandonada à própria sorte. Ela já sofreu demais, e não deve ser ferida. Vamos dar um pouco de nossa própria comida para que recupere as forças.

O ruivo contestou:

— Nós também precisamos de nossas forças para minerar amanhã. Não podemos distribuir comida de graça.

Diante de suas palavras, os demais concordaram. Branca, que era uma menina sagaz e inteligente, percebeu o impasse e tomou a dianteira, falando:

— Eu posso trabalhar.

Novamente, o silêncio caiu no recinto.

— O que disse? — o líder perguntou.

— Eu disse que posso trabalhar. Não quero nada de graça. Jamais pediria nada de graça. Posso lavar, limpar e cozinhar. Sei fazer essas coisas, e o que não sei, aprenderei. Mas preciso de um lugar para ficar e um pouco de comida.

Ela não sabia se a casa era de fato segura, mas sentia confiança na postura do líder, e só de pensar em retornar à Floresta Negra arrepios percorreram-lhe o corpo inteiro.

— Nós temos apenas sete camas.

— Eu durmo no chão.

— Só temos sete jogos de mesa.

— Comerei com as mãos. Por favor, senhores. Apenas até que recupere minhas forças. Depois seguirei meu caminho, qualquer que venha a ser ele.

O líder lhe pediu licença e foi ter uma conferência com os demais na outra sala. Cochicharam por bastante tempo, enquanto a jovem aguardava ansiosa pelo que diriam. Enfim, retornaram:

— Tudo bem, temos um acordo. Daqui a dois meses, iremos para o vilarejo buscar mantimentos. Você poderá ir conosco. Até então, pagará sua estadia com serviços domésticos.

Branca abriu um sorriso:

— Muito obrigado, senhores. Como posso agradecer?

— Não precisa agradecer — disse o ruivo. — Não estamos fazendo favores. É uma transação comercial. Qual é o seu nome, menina?

— Branca de Neve. E vocês, quem são?

— Somos mineradores.

X

O Barão sentou-se para comer após tomar banho e descansar por algumas horas. Sua esposa já o aguardava à mesa, o que era pouco comum. A comida parecia apetitosa, carne assada com batatas. Ele se serviu e perguntou:

— Que carne é essa?

— Um preparado especial, meu amor. O cozinheiro atendeu a um pedido meu. É um guisado, uma iguaria muito rara, daquelas que só temos chance de comer uma vez na vida.

A doçura que ela empregou às palavras também era pouco usual. A Baronesa raramente era terna daquela maneira. Ele estranhou o comportamento, mas manteve-se indiferente, sua preocupação voltada para Branca de Neve. Após servir a si próprio, dispensando com um aceno os serviços dos servos, perguntou:

— Então? Onde está Branca?

— Eu disse que não havia nada com o que se preocupar. Ela saiu em uma viagem ao lado do Caçador!

— O quê? — levantou-se ele de repente, esmurrando a mesa.

A Baronesa não previra reação tão violenta, e ficou temerosa quando ele ameaçou deixar a mesa de jantar.

— Meu esposo, por favor, sente-se. Conversei com as criadas. Branca partiu de espontânea vontade.

— Com autorização de quem?

— Ela já é uma mocinha agora, meu amado. Não depende mais de nossa expressa permissão para tudo. Pelo que soube, manifestou alguns desejos e os teve atendidos. Não se desassossegue, pois estou certa de que ela está bem. Venha, deixe as nuvens de preocupação navegar para longe. Vamos fazer um brinde à nossa maravilhosa viagem.

O Barão retornou, taciturno, e apanhou seu cálice, cheio de vinho até a boca. Ergueu-o a contragosto e virou tudo de uma vez, mirado de perto pelos olhos aguçados da esposa. Então, alegou estar sem fome e abandonou a mesa, deixando a comida intocada. A Baronesa, solitária, não ficou contrariada pela atitude do marido; na verdade, parecia até feliz. Pediu que o Guarda chamasse o Violinista, e quando o músico chegou, ela falou em voz alta:

— Bach.

Ele se pôs a tocar enquanto a mulher cortava com o máximo de lentidão possível a carne trazida pelo Caçador, saboreando cada fração daquele momento mágico. Que prazer sem igual saborear os órgãos de Branca de Neve. Cada mordida era novo deleite, a carne, malpassada, sangrava em seus lábios.

Já havia terminado o jantar, quando lhe chegou a notícia de que seu marido estava passando mal.

A Baronesa sequer fingiu preocupação. Não precisava mais fingir. Jamais tornaria a fingir em toda sua vida. Com calma e tranquilidade, caminhou até o quarto dele, onde o encontrou deitado de pijamas, suando frio e com náuseas. Seu rosto estava rubro, e ao lado da cama, um balde com vômito. As pupilas estavam dilatadas, e ele aparentava muita dificuldade em respirar.

O Médico havia sido chamado. Ele examinou o senhor do castelo por alguns minutos, procurou manchas em seu corpo, checou a temperatura com a palma da mão e, enfim, chamou-a num canto para conversar.

— Temo que ele tenha sido infectado por vapores malignos — foi sua conclusão.

— Esta casa está livre dos estratagemas do demônio, doutor. Ela foi abençoada com a graça do Senhor — respondeu a Baronesa, divertindo-se com o joguete.

— Então, talvez ele tenha sido contaminado de alguma forma durante a viagem. Sinto muito, mas não há nada que eu possa fazer por ele. Sua situação está além de minhas capacidades. Sugiro que todos rezemos.

No decorrer da noite, o estado do Barão piorou exponencialmente; ele teve uma série de convulsões e sentiu dores horríveis até perder por completo o controle sobre os próprios movimentos. Por volta de quatro horas após ter tomado o vinho, seu corpo já estava paralisado.

— Não demorará muito mais agora! — alertou o médico. — Devo instruir os criados a tocar o sino fúnebre e anunciar a morte de seu senhor?

— Sim — respondeu a mulher. — Eu quero também uma elegia.

— Senhora. Não temos poetas no castelo.

— Não me importa o que temos ou não temos. O que importa é o que pedi! Faça você mesmo se preciso for. Agora, quero que todos saiam e me deixem a sós com meu marido.

As mais de vinte pessoas que estavam dentro do quarto obedeceram sem titubear. Quando a Baronesa ficou só com o moribundo, aproximou-se e se sentou ao seu lado, fazendo-lhe um carinho na testa suada. Trazendo um meio sorriso maléfico no rosto, ela fitou profundamente dentro dos olhos dele e disse:

— Você ainda está consciente! Não esperava que algo assim ocorresse. Consciente até o final. É maravilhoso.

Embora seu corpo estivesse paralisado, o movimento dos olhos indicava que a mente do homem estava sã. A estranheza nas palavras da mulher o despertou para uma suspeita até então impensável, confirmada pelo discurso.

— Vejo que começa a juntar as peças do quebra-cabeça, meu senhor? Sim, sou a responsável pelo seu estado. E, não. Jamais poderia deixá-lo partir sem lhe contar isso. Felizmente, o destino me agraciou com essa oportunidade. Antes de morrer, você precisa saber que, todas as vezes que me penetrou, eu não sentia nada além de asco e repugnância, e enquanto você roncava pesadamente ao meu lado, eu corria para o banheiro e vomitava. Felizmente, dormíamos em quartos separados, mas, cada vez que fui obrigada a desempenhar meu papel de esposa, tive nojo de você. Sim, você, meu senhor. Você com sua esposa morta, que fazia questão de me lembrar o quanto ela era santa, bela e formosa, o quanto era tão melhor do que eu. Ela e sua filha estúpida! Eu tinha uma vida perfeita, exceto por você. Pois bem, não está feliz? Irá reencontrar sua adorada mulher muito em breve! Você está a poucos segundos da sua morte, meu marido, mas não haverá tranquilidade para sua alma do outro lado. Branca de Neve foi levada à Floresta Negra e assassinada pela faca do Caçador a meu mando. Hoje, jantei os pulmões e o fígado dela, enquanto você bebia seu vinho envenenado. Não é poético? Caro senhor, você parte daqui a instantes, mas não sem saber que sua semente será para sempre apagada deste mundo. A linhagem de sua família acaba em você. E se eu tenho um útero podre, como você mesmo disse, então sua prole apodrecerá na terra lamacenta e não há nada, nada, que possa ser feito para evitar esta triste verdade. Seu castelo é meu. Sua fortuna é minha. Seus súditos são meus. O castelo e todas as suas posses pertencem agora a mim. Não há ninguém para reclamar esse meu direito. Ninguém. Diante desses olhos lastimosos, tomo tudo o que outrora pertenceu a você, odiado amor! Agora, dê seu último suspiro, e morra!

Deixando-se levar pela força das circunstâncias e por um profundo ódio manifesto, ela foi incapaz sequer de esperar o veneno terminar de agir no corpo do homem. Agarrou uma almofada e pressionou-a sobre o rosto dele com imensa violência, sufocando-o. Nem um único músculo ele conseguia mover; o máximo que seu corpo oferecia eram tremores e engasgos, até que, enfim, poucos segundos depois, tudo acabou. Quando ela retirou a almofada, os olhos dele estavam virados para trás, e uma baba branca escorria da boca escancarada.

— Que o diabo leve sua alma, porco!

E ela deu uma cusparada sobre o cadáver inerte. Depois, abriu a porta do quarto e fez o anúncio oficial para todos que estavam do lado de fora aguardando:

— O Barão está morto. Toquem o sino fúnebre.

As criadas começaram a chorar, e o Médico foi checar o corpo. Assim que se aproximou, ele olhou para ela, assustado, identificando os sinais óbvios de um crime. Percebendo que ele sabia da verdade, a Baronesa disse calmamente:

— Onde está minha elegia, doutor?

— Não a tenho, senhora!

— Negou meu pedido? O único pedido de uma viúva cujos poderes agora são plenos neste castelo? Como ousa interferir assim em meu luto? Como ousa negar um mínimo de conforto a esta alma inquietante, arrasada pela perda de sua razão de ser?

O médico engoliu em seco. Era um homem inteligente e entendeu o que lhe era sugerido:

— Senhora, perdoe-me. Não pretendia negar-lhe coisa alguma. É só que seu marido, que morreu de causas naturais, roubou-me todo o tempo.

— Causas naturais?

— Sim, senhora. Uma súbita e infortuna doença, provavelmente contraída durante a viagem. Eu sinto muito.

A mulher sorriu.

— Não sinta. Cuide da remoção do corpo. Depois, seu trabalho aqui está terminado. Deixe a elegia para outro dia.

— Sim, senhora. Muito obrigado.

A Baronesa deixou-o para trás e foi até um guarda, ordenando:

— Vou para o meu quarto. Destaque alguém para ajudar o Médico no que for preciso. Depois, procure o Criado Negro e peça que vá até meus aposentos. Quero dois guardas escoltando-o. Dois, ficou claro?

— Sim, senhora!

Em seu cômodo, ela olhou para o espelho, mas nada disse. Ficou apenas encarando-se continuamente por vários minutos, embalada pelo sino que tocava no alto da torre, noticiando para todos que o Barão estava morto. Súbito, duas batidas à porta anunciaram que o criado estava do lado de fora.

— Entre.

Conforme ordenado, Criado Negro chegou, escoltado por dois guardas. O servo, cabisbaixo e visivelmente abalado pela morte do seu senhor, resmungou entre um par de lágrimas que escorriam por suas bochechas:

— Minha senhora, sinto muito por sua perda. Eu...

Ela ergueu a mão, indicando que ele devia parar de falar.

— Você sabe que eu sou a senhora do castelo agora, não sabe?

— Sim, senhora.

— E como tal, tenho plenos poderes. Você me deve obediência, vassalo. A mesma obediência que tinha para com meu marido, seu senhor.

O homem concordou, ainda cabisbaixo:

— Seu marido era bom e justo, senhora. Ele sempre me favoreceu, e meu coração está pesado com sua morte.

— Eu também sou justa. Acredito em retribuição. Retidão. Punição. Nós temos uma questão pendente, servo. Você espancou meu rosto brutalmente, mesmo perante meus protestos...

Criado Negro, que até então mal havia destinado dois pensamentos ao ocorrido desde aquele dia, a interrompeu, em pânico, vendo aonde aquilo tudo ia dar:

— Senhora, fui obrigado. Só o fiz a pedido do Barão...

— Se tornar a me interromper, servo, será a última coisa que fará, entendeu? (Ele apenas fez um sinal de positivo com a cabeça.) Como dizia, você me espancou. Maculou meu rosto, minha beleza. Tocou minha face. Arrancou minha inocência, e me causou dor. Não posso permitir que a mão que me bateu continue fazendo parte do meu lar. Como posso chamar de lar um lugar que tem elementos que trazem à tona minha vergonha? Como posso me sentir segura em um lar como este? Como posso gozar do respeito do povo, quando eles sabem que você me violou sem sofrer consequência alguma? Não poderia, é evidente.

Criado Negro caiu de joelhos, as lágrimas ganhando seus olhos aos montes:

— Senhora, por favor, o corpo do seu marido sequer esfriou. Por favor, deixe essas questões no passado. Perdoe minha insolência, e encontre em seu coração...

— Eu pedi que não o fizesse servo. Você se lembra? Mas você fez ainda assim! Eu olhei dentro dos seus olhos, olhei lá no fundo, e implorei que não fizesse. Eu, uma senhora, uma nobre de sangue azul, tive que pedir algo a você! Lembra-se? Guarda! – ela gritou. – Dê uma lâmina a este homem.

Um dos guardas tirou um punhal longo da bainha e jogou no chão, diante do Criado Negro ajoelhado. A Baronesa, tomando o cuidado de dar um passo atrás agora que ele estava armado, prosseguiu:

– Sua opção é simples. Remova o objeto da minha vergonha, e viverá. Hesite, e morrerá.

Imediatamente um dos guardas sacou sua espada e se colocou atrás do Criado Negro, em posição de ataque, apenas aguardando a ordem. Exasperado, o homem olhou à sua volta de forma desordenada, sem saber o que fazer, e tornou a implorar:

– Senhora, por favor. Não faça isso. Como poderei trabalhar se...

– Matem-no!

– Não! Eu corto, eu tiro! Eu mesmo faço isso!

A Baronesa sentou-se sobre a macia cama, cruzou as pernas e, por detrás de uma pose afetada e um malicioso sorriso, disse:

– Estou esperando.

Com a mão trêmula, o homem apanhou o punhal. As lágrimas eram uma cascata, o nariz escorria e seus dentes pressionavam os lábios inferiores. Ele ergueu a lâmina acima da cabeça e pareceu congelar na posição por alguns instantes. A vergonha tocou seu coração, impedindo-o de seguir em frente.

– Faça! – ordenou a mulher.

A mão ameaçou descer uma vez, porém foi apenas uma pequena ameaça.

– Faça! – ela gritou novamente. – Ou juro que matarei não apenas você, mas todos com quem se importa neste mundo!

O servo fechou os olhos e o mundo enegreceu!

XI

Os dois meses propostos pelos mineradores passaram voando como pássaros que migram fugindo do inverno para o verão. Branca de Neve adaptou-se com enorme facilidade à sua nova vida e, em pouco tempo, percebeu que ela não era tão ruim assim. Seus companheiros saíam pela manhã, logo que o dia raiava, e não retornavam até o anoitecer, de modo que ela ficava o dia inteiro sozinha, tendo como companhia apenas os animais que a visitavam.

Mas a moça raramente passava um dia ocioso, pois tinha diversas tarefas domésticas para se ocupar. Lavava, costurava e cozinhava. A casa nunca fora um lugar bagunçado ou sujo, mas, com a presença dela, o ambiente melhorou bastante. No jantar, os mineradores faziam refeições nutritivas, e ela sempre cozinhava o suficiente para que eles levassem algo para comer no dia seguinte.

Fazendo valer os bons modos, Branca jamais permitiu que um deles se sentasse à mesa sem antes se lavar e trocar de roupas, mesmo sendo aquela a casa deles. Contaminados pelo comportamento exemplar da moça, os homens foram pouco a pouco perdendo um pouco da bruteza, e na presença delicada dela, evitavam inclusive assuntos de baixo calão e falar alto. Se no começo alguns deles a enxergaram como objeto de desejo, findo aqueles dois meses todos a viam como uma irmã mais jovem, que devia ser cuidada e respeitada.

Dois meses tornaram-se quatro, e quatro tornaram-se oito. Logo, as memórias de sua vida anterior não passavam de borrões na mente da jovem. Foram tempos estáveis e felizes. Ela jamais entrou em detalhes sobre quem era e o que fazia antes de conhecê-los, de onde tinha vindo, ou o nome de seu pai. Claro, os sete conheciam as circunstâncias que a levaram até sua porta, sabiam sobre sua madrasta e a covarde tentativa de assassinato, pois ela própria lhes havia revelado tão dura verdade logo no primeiro encontro que tiveram. Porém, eles nunca se importaram em ir além. Não fazia diferença o passado, somente o agora.

Era como se, para todos, uma nova vida tivesse sido iniciada, e o que ocorrera antes não importava mais. Com o tempo, ela percebeu que o Minerador Líder não era o chefe de fato, apenas o mais velho, e os demais o respeitavam como a um pai. Ele era duro, porém justo, e sua palavra era a última. O curioso é que não era tão mais velho que os demais, apenas um pouco mais... Desgastado, como se a vida tivesse cobrado demais de si.

Eles vendiam ferro, extraído de uma mina a alguns quilômetros dali, mas tinham esperança de um dia encontrar ouro – o que representaria uma mudança radical em suas vidas. Eram tempos difíceis, e nada caía do céu para quem vivia na floresta, mas eles, ao menos, não precisavam se preocupar com grande parte das aflições que ocupa a mente dos cidadãos que moram nas cidades. A natureza oferece flores na mesma medida que espinhos, mas ela não trai, engana, magoa ou dissimula. São pessoas que fazem isso.

Certa noite, o Minerador Líder falou num tom de preocupação:
— Minha jovem, quais são seus planos para o futuro?

Todos jantavam animadamente. As lentilhas e batatas estavam primorosas, e o vinho particularmente gostoso. A lenha ardia na lareira, crepitando docemente, e tornava o ambiente aconchegante. As palavras do homem pegaram a todos de surpresa.

— O que quer dizer? — retrucou a moça, fingindo não ter entendido o que ele insinuava.

— Não pode ficar aqui para sempre.
— Por que não?
— É, por que não? — reforçou o Minerador Ruivo, que tinha quase a mesma idade que o outro, e não gostava nada dos rumos da conversa. Os demais não interferiram. O Minerador Líder foi claro:

— Você é uma moça bela demais para desperdiçar toda sua juventude em uma cabana no meio da floresta. Nenhum de nós é digno de ser o marido que merece, portanto, é hora de começar a pensar em se mudar para uma cidade.

— As pessoas são más nas cidades. Elas nos consternam e enganam. Aqui vivemos em harmonia, nós oito e os animais. Nunca fui magoada por um pássaro, um esquilo ou uma raposa.

— A mãe natureza tem outras facetas, menina.

— Pode ser, mas dissimulação não é uma delas. Não me importo com minha beleza. Não me importo com maridos ou títulos. No passado, dava valor a conforto, hoje percebo como era fútil. O conforto é um disfarce para encobrir nossas insuficiências. Não vivo uma farsa, vivo algo real. Estou feliz aqui e, a menos que me mandem embora, aqui pretendo ficar.

O outro suspirou e tentou um novo argumento:
— Minha jovem, mas está chegando o momento em que você terá que entregar seu dote para um homem. É obrigação de toda mulher fazer aquilo para o qual ela veio ao mundo: ter um filho.

Ela se levantou e falou em alto e bom tom, e seu olhar era claro e decidido, o que mostrava que já havia pensado bem sobre o assunto:

— Meu dote é meu para fazer com ele o que quiser. Não colocarei meu dote acima da minha felicidade.

— Ainda assim, se não dispuser dele, será uma mulher infeliz. Talvez não hoje, mas no futuro, quando pensar no filho que não teve.

— Meu dote pode ser teu, se assim quiseres — o homem estremeceu ante a insinuação. Quando foi responder, ela continuou a falar. — Pode ser de todos vocês (ela disse isso olhando ao seu redor e gesticulando com as mãos). Percebem que não me importam mais dotes? De que valem dotes, fortunas, nomes, quando se é infeliz? Eu me entrego a todos os senhores, se isso for necessário para que eu possa ficar.

Minerador Ruivo levantou-se e colocou as mãos sobre os ombros dela:

— Pare com essa conversa insana agora, criança. Ninguém pede algo assim a você. Não é este o rumo que essa discussão deveria tomar, e nenhum de nós seria capaz de traí-la e obrigá-la a fazer algo que não queira. Ainda que a preocupação de nosso companheiro seja legítima, você é nossa irmã, e nossa mãe, e nossa igual. A escalada do futuro deve ser decisão sua, e exclusivamente sua. Não escutará nada mais sobre este assunto vindo de nós.

E ele fez um sinal quase imperceptível com a cabeça para que o outro cessasse aquelas conversas. Todos concordaram com a observação do Minerador Ruivo, e o Minerador Líder sentiu-se triste, por achar que ela desperdiçaria a vida em uma cabana. Mas, ao mesmo tempo, não conseguia deixar de pensar na insinuação dela e no quanto havia sido sincera. Ele jamais pensou em si próprio daquela maneira, como alguém que poderia desposar uma jovem tão bela. Mas seria verdade? Ou um ímpeto momentâneo?

Eles tornaram a comer e, conforme prometido, não tocaram mais no assunto. Tinham um código de honra muito forte aqueles homens.

XII

A Baronesa deitou-se e fechou os olhos. Havia conquistado tudo o que queria. Então... por que a sensação em seu peito era de implacável melancolia? Ela disse em voz alta:

— O que poderá me satisfazer? O que me trará paz?

E perguntou-se por que os prazeres eram tão passageiros. Um desejo é contentado, a pessoa atravessa alguns instantes de júbilo e exultação, ri, alegra-se, mas pouco depois se vê mais uma vez assolada por uma profunda mitigação. Não existe estado permanente de contentamento?

Parte 3 – Conto inédito

A felicidade é tão efêmera assim?

Então, pensou em como se sentiu quando recebeu a notícia da morte de Branca de Neve. Lembrou-se da jovialidade que tonificou cada músculo do seu ser, desde a antecipação do momento até a concretização do ato em si. Depois, relembrou seu plano cruel para assassinar o marido: primeiro, quando teve a ideia, e, depois, a forma como manipulou o Caçador e a incerteza eletrizante de saber se ele havia cumprido ou não seus desígnios, até que, por fim, diante de seus olhos, o Barão definhou e morreu, após ter sorvido o néctar envenenado. Aquele foi um estado de prazer como jamais tivera antes. Será que poderia ser reproduzido? Evidente que sim! Bastava que as mesmas condições fossem preparadas, o mesmo palco armado.

Ela levantou-se e apressou-se para falar com seu confidente particular, o espelho:

– Ah, espelho. Se você pudesse falar, o que me diria? Se eu perguntasse como devo satisfazer minha indelével sede que seca não só minha garganta, mas suga também minha vontade e me açoita com violentas dores de cabeça, você me censuraria? Se lhe dissesse que quero executar os atos que outros consideram hediondos, qual seria sua resposta? Diria não? Ou reconheceria minha soberania, minha casta superior, minha estirpe única, e seu conselho seria de que alguém como eu não deve jamais cometer a injúria da censura? Ah, espelho, meu pai, meu amante, meu amigo, você é sempre tão sincero. Penso que o Divino fala através de você. Tamanho deve ser o orgulho d'Ele por ter colocado sua criação mais perfeita na Terra, sua filha mais linda e formosa. Minhas vontades devem ser saciadas! Só assim posso ocupar o lugar que me é de direito. Sim, agora compreendo. Meu caminho não será barrado!

Ela foi até o corredor e mandou que uma criada fosse enviada. Um guarda que estava do lado de fora, postado como uma sentinela, perguntou:

– Qualquer uma, senhora?

A mulher refletiu e respondeu:

– Não quero nenhuma das minhas criadas pessoais. Envie alguém que trabalhe fora da casa.

Ele acenou com a cabeça e foi cumprir a ordem. A Baronesa retornou ao cômodo e começou a fazer os preparativos para o que tinha em mente. Seu coração palpitava de emoção ante a antecipação do ato. Pouquíssimo tempo depois, duas batidas anunciaram que a moça havia chegado.

— Entre!

Era uma garota jovem, provavelmente não mais de 17 anos, vestindo trapos cinzentos e descalça. Seu corpo era delgado, e os cabelos negros como piche, embaraçados pela vida servil isenta de comodidades. A Baronesa se aproximou e a examinou de perto, tocando com suas mãos gélidas a pele da menina, e enrolando um de seus cachos nos dedos.

— Você cheira mal, criada! — disse de forma grosseira.

— Perdão, senhora — respondeu a outra, prostrando-se. — Eu trabalho no campo. Se soubesse que viria aos seus aposentos, teria me banhado. Devo sair?

— Não, não importa. Tire toda sua roupa!

A frase foi dita com descaso trivial. E a menina engoliu em seco.

— Como, senhora?

— Preciso repetir? Remova suas roupas imediatamente.

Com o desconforto usual que a nudez causa, principalmente quando o nu está ao lado de alguém vestido, a menina começou a tirar seus trapos, deixando-os cair no chão aos seus pés. A Baronesa deitou-se preguiçosa sobre a cama e sorriu com inexorável deleite, enquanto observava a criada com um olhar enigmático. Aquele seria um ato que ela repetiria incansáveis vezes daquele dia em diante.

— Você me agrada — disse, enfim.

A garota, tentando esconder sua nudez, abraçava os seios com um braço e tapava o meio das pernas com o outro, em uma posição desengonçada. Não ousava olhar para sua senhora, mantendo o pescoço pendendo para o lado, mirando o chão. Seus cabelos caíam-lhe sobre o tórax, sujo e suado. Os braços, pernas e axilas eram peludos, e os dentes, amarelados. Não havia graciosidade na figura; ainda assim, aos olhos da Baronesa, ela era perfeita.

A mulher observou a criada por um longo período de tempo, sem nada dizer. Em sua mente, assistia com clareza a tudo o que pretendia fazer, como se estivesse vendo uma peça teatral sentada confortavelmente em um camarote. Enfim, levantou-se novamente e apanhou duas echarpes de seda que já havia deixado previamente separadas. Sem maiores explicações, segurou com firmeza o punho da moça e o atou, prendendo a outra extremidade no peitoril que ficava no topo da lareira que havia na câmara:

— Não costumo falar sobre minha história — começou a discorrer enquanto desempenhava as ações. — Na verdade, acho que nunca o fiz.

Minha família veio da Hungria, um século e meio atrás. Minha bisavó imigrou para a Alemanha já na idade adulta, em circunstâncias difíceis e desprivilegiadas, e tentou recomeçar a vida. Ela sofreu adversidades de todas as formas possíveis, mas era uma grande mulher. Jamais deixou que suas descendentes se esquecessem da verdade. Jamais renegou de onde viera, suas origens. Apesar de ter mudado o nome, minha bisavó não renunciou a quem era, nem permitiu que nós assim fizéssemos. Nossa história foi narrada de mãe para filha, na privacidade de quatro paredes, para nos proteger dos olhos do mundo exterior, que julgam e condenam. Mas jamais nos foi permitido esquecer, pois o que somos é motivo de orgulho!

A garota escutava o relato, mas sequer conseguia respirar. Na verdade, ela mal computava as palavras ditas, e sua mente parecia um turbilhão, tentando processar todos os temores que a assaltavam. Quando a Baronesa segurou o outro braço e tentou prendê-lo de forma igual ao primeiro, inconscientemente a cativa ofereceu um pouco de resistência, o que obrigou a mulher a aplicar alguma força. Ela percebeu que a resistência lhe trouxe prazer. Qualquer forma de força a aprazia mais que a aceitação:

— Minha bisavó era filha de uma mulher bastante conhecida. Sua história cavalgou os quatro cantos do continente, e seu nome é sussurrado nos ouvidos de crianças quando seus pais querem que se comportem. Minha tataravó, que grande mulher ela foi, se chamava Bathory. Elizabeth Bathory.

Ao escutar aquele nome, os olhos da criada se arregalaram. Ela teve vontade de gritar, mas a voz ficou entalada na garganta.

— Pela sua reação, percebo que você também já escutou falar dela. Mesmo entre a ralé com quem anda. Talvez alguém tenha narrado sua história em uma noite sombria, na qual raios e trovões cortavam os céus, prenunciando tempestade? Ou quem sabe você tenha escutado da boca dos antigos, que acreditam que ela até hoje vive na forma de uma criatura da noite, sugando sangue de virgens para sobreviver? Vejo medo em seus olhos, minha querida, vejo muito medo.

A Baronesa riscou levemente o tórax nu da garota com sua longa unha, circundando seus seios, e depois descrevendo um círculo menor ao redor do mamilo, rígido de medo.

— Minha tataravó foi presa e condenada pela morte de seiscentas e dez mulheres. Sabe o que a condenou? Ela mantinha um diário pessoal no qual anotou o nome de todas as suas vítimas. Um prazer, sem dúvida, mas ao mesmo tempo um erro que eu própria não cometerei. Afinal, temos que aprender com o passado.

A criada, ao perceber o tamanho da enrascada em que havia se metido, começou a se debater brutalmente, mas, apesar de suas pernas estarem livres, os punhos tinham sido muito bem amarrados. Ela gritou com toda força que conseguiu, mas a mulher a puxou para trás pelos cabelos e enfiou em sua boca um lenço grosso, dando-lhe uma bofetada bem dada no rosto. A dor na mão por causa do choque fez a Baronesa apertar os dedos e sorrir, dizendo:

— É bom se sentir viva, não? — e bateu novamente.

A criada, olhos lacrimejando e nariz vertendo sangue, tentava em desespero livrar a boca e soltar as amarras, mas seus esforços eram em vão. Quanto mais ela puxava, mais os nós apertavam, e seus punhos já começavam a ficar arroxeados.

— Sabe qual era uma das coisas que minha tataravó fazia? Ela pegava uma agulha como esta — e a Baronesa mostrou no ar, segurando pela pontinha, uma agulha enorme de metal, pontiaguda, com vinte centímetros de comprimento — e furava as moças. Simples assim. Qual será a sensação?

E sem qualquer aviso prévio, ela enfiou a agulha na omoplata da menina. A arma atravessou o ombro de uma única vez e saiu do outro lado. Incapaz de gritar, a criada emitia apenas um ruído gutural de pânico e dor, sacudindo-se ao máximo que conseguia. Ao puxar a agulha para fora, a Baronesa observou que, por um breve instante, ficou um buraco na carne, redondo, perfeito, límpido. Então, o buraco foi inundado pelo líquido escarlate e transbordou. A mulher, em revoltante deleite, lambeu a gota grossa de sangue que escorreu, começando lá embaixo, na barriga, passando pelo seio, até chegar à fonte. Naquele exato instante, olhou-se no espelho e viu sua imagem manchada de vermelho, boca lambuzada, busto e mãos, e disse em voz alta:

— Lindo!

Voltando sua atenção para a criada mais uma vez, continuou o relato:

— Minha bisavó viveu com nome falso na Hungria por anos, mas quando a mãe dela foi presa e condenada, tomou a decisão de partir. Foi um longo caminho que percorreu de sua pátria até aqui. Ela tinha sido fruto da relação de Elizabeth com um camponês, antes mesmo do casamento com o nobre Ferencz Nadasdy, mas isso talvez tenha sido algo de bom no final das contas. Afinal, os Bathory foram todos perseguidos, mas nós, o outro lado da família... Nós continuamos aqui. Livres e isentos.

Ela deu outra espetada, desta vez na coxa. A noite estava apenas começando. A natureza sádica do seu espírito tinha vindo à tona em definitivo. A psicose, a monstruosidade, a crueldade. O desespero como combustível. Os grunhidos como estímulo. Logo, com truculência e selvageria, ela torturava sem dó a jovem criada, banhando-se em seu sangue quente, bebendo e regurgitando, apenas para beber novamente. Inumanidade! Agonia! Atrocidade!

A garota urinou e defecou de dor e medo, e a Baronesa, como que possuída pelo espírito de sua ancestral, esfregou na vítima os dejetos, enfiando-os em sua própria boca. Cortou partes do corpo da menina e mastigou. Arrancou as próprias vestes e rolou no chão, entre fezes e sangue, pintando seu corpo de vermelho. O banquete durou horas, até que a criada, após sofrer dores incomensuráveis, desfaleceu para nunca mais acordar.

Havia tanto sangue no chão, que escorreu por todo o quarto e por debaixo da porta, chegando até o corredor. O guarda, que havia sido dispensado de seu posto enquanto a mulher prosseguia com seu jogo doentio, foi chamado de volta, e dele foi a tarefa de remover o corpo e levá-lo para ser jogado na floresta de forma discreta, longe dos olhares alheios dos demais servos. As camareiras foram convocadas para limpar o quarto, e as criadas pessoais da Baronesa ficaram encarregadas de lhe preparar um banho morno. Enquanto era lavada, a mulher ordenou que a tocassem sensualmente, algo que jamais fizera antes, e adormeceu na banheira após um longo e intenso prazer.

O castelo do Barão havia sido para sempre transformado.

XIII

— Meu amor, por favor, conte o que o atormenta há tantos meses – disse a mulher do Caçador, sentada no chão a seus pés. Ela estava cansada de lutar contra a sombra melancólica que havia caído sobre o teto deles, contaminado seu amado como um vírus e tirado toda sua paz e sossego. E se ele estava inquieto, todo o resto também ficava. Ele não respondeu, como se pergunta alguma tivesse sido proferida. Decidida a não desistir, ela prosseguiu:

— Todos o evitam no castelo, e além. Tornamo-nos párias desde que você não retornou daquela viagem com a senhorita. Ninguém sabe o que aconteceu dentro da Floresta Negra, nem mesmo os guardas. Logo depois, tudo começou a ruir, e a demência passou a fazer parte da vida de todos. Que série de eventos foi essa, meu marido, por favor, explique. Nosso senhor morreu e a Baronesa...

— A Baronesa transformou este castelo em Sodoma — ele respondeu, irritado. — Por quanto tempo ela conseguirá esconder os gritos que todos escutam na calada da noite, mas fingem não escutar? Quantos novos desaparecimentos terão de ocorrer até que alguém tome uma postura? Uma atitude?

— Silêncio, meu amor! — disse a mulher, encolhendo-se e olhando para os lados. Apesar de estarem sozinhos dentro da própria casa, que ficava a centenas de metros do grande castelo onde a Baronesa vivia, a mulher tinha a sensação de estar sendo observada todo o tempo, perseguida, como em uma psicose. Aquelas palavras eram a mais pura traição, e seu marido poderia perder o pescoço por falar algo do gênero.

— Não há ninguém aqui. Não nos ouvirão. E, se ouvirem, digo a todos que vão para o diabo!

A mulher se levantou, correu até a janela embaçada, e olhou para fora. Temia espiões. Temia aquilo em que o castelo do Barão havia se tornado, um lugar de medo e profanação, governado por uma déspota que enlouquecia dia após dia. Do lado de fora, ela viu apenas escuridão. Voltou-se para o marido, e seu tom assustado misturou-se ao tom autoritário de uma esposa nervosa:

— Fale comigo, Caçador. Fale comigo agora! Não posso viver assim!

Ele pediu um cálice de vinho, que ela serviu prontamente. Depois, percebendo que era hora de se abrir e liberar tudo o que havia dentro de si e o consumia há tempos, começou o relato do que acontecera há quase um ano na Floresta Negra, e que jamais tivera coragem de mencionar a alguém. Nem mesmo a sua adorada esposa. Quando acabou de falar, a mulher estava atônita:

— Que Deus nos proteja, Caçador. O que você fez é um pecado imperdoável.

— Eu sei! – disse o homem, e sua voz estava consumida pela culpa. – Acha que não penso nisso todos os dias? Acha que não sou devorado pela vergonha? Pela perda da honra? Nada mais me restou, nada, exceto você e nossa filha. Nossa adorada filha. Não foi por vocês que fiz o que fiz?

— E qual foi o resultado? Este castelo caiu em desgraça. Pessoas desaparecem todas as semanas. Quanto tempo temos até que aconteça uma tragédia com alguém que nos seja caro? Eu acho que a Baronesa perdeu a cabeça! – esta última frase a mulher cochichou.

— Sim, ela perdeu. Assim como todos nós. Nossa omissão. Nossa conivência. Nossa aceitação.

— Mas quais são as opções? Ela ainda tem os guardas ao seu lado. Eles lhe são fiéis.

Caçador deu um murro sobre a própria perna:

— Imbecis. Só pensam no dinheiro que lhes é entregue. Ela não os tem ao seu lado, mas em seu bolso.

— Sim. Dinheiro de sangue. E ela dobrou-lhes o salário, então, talvez não esteja assim tão louca. Eles fecham os olhos para tudo!

— Mas chegará o momento em que até mesmo eles serão afetados. As trevas se aproximam em progressão inescapável.

A mulher o abraçou:

— Nós superaremos isso tudo. Não se preocupe. Diga-me, o que foi feito da senhorita?

— Deixei-a na floresta e dei recomendações para que partisse para o exterior. Achei que ela seguiria minhas palavras. Certas noites, cheguei a sonhar que havia sido devorada pelos animais da floresta, sua pele alva rasgada pelos dentes de lobos e outras bestas selvagens. Em meus sonhos, seu sangue é azul, e seus gritos chamam meu nome, mas sem realmente chamá-lo. São gritos sem som, sem voz, surdos, mas eu os ouço. Somente eu os ouço!

— São apenas sonhos, meu amor!

— São meus pecados voltando para me assombrar. Conversando comigo para evitar que eu descanse, para evitar que esqueça o que fiz. É o castigo divino. Uma justa perturbação para alguém que comete o impensável.

A mulher não contestou. Amava seu marido, mas concordava com o que dizia. Ainda assim, preferiu não falar algo que o deixasse ainda mais deprimido. Enfim, perguntou:

— Você acha que a senhorita morreu na mata?

— Não. Durante um longo tempo cheguei a pensar que sim, mas novos fatos vieram à tona recentemente. Há alguns meses uma informação chegou por acaso aos meus ouvidos.

— Informação?

— Sim. Rumores vindos de Herrenberg, que fica entre a Floresta Negra e nosso lar. Boatos. Palavrório. Talvez simples conversa fiada do povo, porém coincidência demais para ser ignorada.

— Conte, Caçador. Não omita detalhe algum.

— Há um grupo de mineradores que vive nas densas matas da Floresta Negra. Homens brutos e perigosos, independentes, que fazem suas próprias leis, gente que odeia a nobreza e qualquer tipo de autoridade. Já os vi, de relance, em uma ocasião, e devo dizer que eles inspiram temor. Até mesmo a um homem como eu. Pouco se sabe sobre eles. Vendem ferro para a autoridade local, que o comercializa com outros países. Nada se conhece sobre seu passado; alguns dizem que foram guerreiros; outros, ladrões; e outros, que foram nobres caídos. De tempos em tempos, esses homens vão aos vilarejos próximos e às vezes até as cidades para comprar mantimentos e tudo o mais que não podem obter das matas. Foi depois de uma dessas visitas que um rumor se espalhou.

— Rumor?

— Sim. Na verdade, um boato. O de que estaria vivendo com eles uma donzela bela e jovem, com a pele pálida, lábios rubros e cabelos negros.

A esposa pareceu cética:

— Caçador, esposo meu. Parece algo difícil de acreditar. A senhorita... Os homens que você descreveu...

— Pense comigo, mulher. Sei que parece irreal, mas, e se a senhorita andou pelas matas a esmo até chegar à casa dos mineradores, perdida na imensidão da floresta? E se eles a acolheram, ou mesmo escravizaram? E se ela está viva e bem? Se tudo isso for verdadeiro, e estou inclinado a pensar que sim, pergunto a você: não é ela a verdadeira herdeira deste castelo? Não pertence a ela tudo isso por direito filial?

A mulher mordeu os lábios de nervoso.

— Acompanho seu raciocínio agora, marido. E também compreendo sua inquietação. A senhorita é a verdadeira esperança para restaurar a ordem. Sua presença imputaria um sentimento de obediência até mesmo nos guardas. O que pensa fazer?

— Não sei. Sinceramente, não sei. Pensei em mais de uma ocasião que deveria partir em uma busca. Encontrá-la e dar um fim a esta loucura. Porém, temo pela sua segurança e a de nossa filha. A Baronesa é uma mulher muito perigosa, e não deve ser subestimada.

— Tenha calma — a mulher tocou seu rosto gentilmente. — Vamos esperar a oportunidade certa. Esse assunto realmente deve ser tratado com o máximo de cuidado. Mas tenho fé em você. É um homem valoroso e honrado, que encontrará a coisa certa a fazer.

Eles se abraçaram. O calor do corpo dela confortou os conturbados pensamentos do homem. A cumplicidade da conversa fez despertar outras formas de intimidades. Não demorou muito para que o casal estivesse despindo um ao outro, iluminado somente pela luz fraca da lareira, que já se apagava. Naquele momento, a filha deles, que a tudo escutara escondida atrás da porta, decidiu que era hora de parar de espionar e retornar ao seu quarto. Ela ouvira mais do que queria, e sua mente estava inquieta.

XIV

Adolescentes são o que são. Não se pode exigir mais deles do que são capazes de dar. Suas responsabilidades coadunam com a idade. Não se deve cometer o erro de pensar que suas ações são motivadas por maldade, quando na verdade a impetuosidade da juventude é o verdadeiro problema. A cobrança deve existir na medida certa que sua estreita visão de mundo lhes permite enxergar. Eles causam transtornos, mas não o fazem por mal. Eles pensam estar certos, mas suas ideias nascem da inexperiência, e não do desejo de contrariar. Eles cometem erros... E, em geral, quem limpa as besteiras são os adultos.

Foi assim também com a filha do Caçador. Tantas coisas ela escutou naquela noite, e todas tão incríveis, que jamais poderia ter guardado apenas para si. Esta é uma questão interessante da adolescência: como é uma fase em que o indivíduo está aprendendo a arte de se relacionar, é preciso haver partilha. A jovem garota não mediu consequências do que estava em jogo (como poderia?). Tão somente se sentou, segurando as mãos de sua melhor amiga, a filha do Cozinheiro, tendo o céu, o vento e os pássaros da manhã como testemunhas, e narrou da melhor forma que conseguiu os acontecimentos épicos de que tivera conhecimento na noite anterior.

A menina escutou atentamente cada detalhe da história. Seus olhos se arregalaram, e a mandíbula caiu. Elas jamais poderiam ter imaginado que algo daquela magnitude estava ocorrendo: a filha do Barão, condenada à morte por sua madrasta, poupada pelo Caçador, sobrevivendo de alguma forma à densa noite da Floresta Negra... Naquela noite, a filha do Cozinheiro encontrou-se com o Ferreiro, um garoto jovem que assumira as funções do pai, recentemente falecido. Eles vinham dividindo em segredo o leito há algumas semanas e, após uma noite de amor, sentindo-se deliciosamente sórdida e sedutora, ela contou a passagem, partilhando o que ninguém sabia. O Ferreiro, que tinha o Caçador em grande conta, a princípio rejeitou a história, mas teve de aceitá-la ao perceber que certas peças se encaixavam. Ele tinha um irmão mais jovem, que ajudava no pomar informalmente, em troca de comida e moradia. Ao chegar à sua casa, na calada da noite, e encontrando o irmão acordado, vítima de uma insônia implacável, o Ferreiro também partilhou a incrível história, narrando-a com ares de conto de terror. O irmão, impressionado, partilhou com seus colegas logo cedo pela manhã, e não demorou muito para que praticamente todos os servos do castelo soubessem da verdade. A senhorita estava viva, em algum lugar da Floresta Negra. Seu assassino tivera perdão no coração. Deus era misericordioso. Ainda havia uma chance!

Mas, se por um lado os servos engendraram a possibilidade de um levante, a verdade é que eram pessoas simples e de natureza pacífica, habituados com a vida de trabalhos domésticos. Eles eram desorganizados e despreparados. Não tinham liderança adequada, espírito contestador, habilidades de combate, ou mesmo forças para enfrentar a cruel Baronesa. Eram gente do povo, pacífica, com uma vida inteira de subserviência. Eles demorariam meses para se organizar, talvez anos, se é que um dia o fariam. Suas conversas eram sempre fragmentadas, carentes de uma linha de raciocínio adequada. Eram pessoas passionais, porém medrosas. Eram como cães correndo atrás de carruagens na rua. Se o veículo parasse, jamais saberiam o que fazer com ele.

O problema é que poucas semanas após o boato ter ganhado os ouvidos de quase todos no castelo do Barão, fato que jamais veio ao conhecimento do Caçador, pois ninguém tinha coragem de questioná-lo diretamente, a Baronesa começou a ter suas costumeiras dores de cabeça. A enxaqueca piorava em um ritmo exponencial, seu corpo suava todas as noites, os pesadelos eram constantes e os tremores nas mãos chegaram ao ponto de impedi-la de segurar uma taça de vinho. Os ataques de pânico tiravam-lhe o apetite, e a única coisa que ela conseguia engolir era uma taça de vinho seco. O álcool fermentava em sua mente, e suas ideias iam ficando gradativamente soturnas. E ela sabia o que tinha que acontecer, então. Só havia uma coisa que poderia mandar todos aqueles sintomas embora. Uma única coisa para oferecer-lhe paz e sossego, ainda que momentâneos. Portanto, numa manhã triste e cinzenta, da janela de seus aposentos, ela selecionou uma jovem ao acaso que trabalhava no campo, e pediu que os guardas a trouxessem até seu quarto. A garota, por uma coincidência infeliz, era a filha do Cozinheiro.

A Baronesa rolou na cama como uma gata dengosa ao sol. A antecipação dos prazeres que teria já era quase suficiente para que se recobrasse de suas lástimas; limpou seus instrumentos, vestiu uma roupa dourada e cheia de babados (ela adorava o aspecto que o dourado tinha quando borrifado de sangue), pediu dez metros de cordas novas, e aguardou. Nos últimos meses, em um processo gradual, seu quarto havia sido transformado em um misto de dormitório e câmara de torturas. Ela não queria saber de porões e sótãos, lugares úmidos e frios, sem tapetes, janelas ou conforto. Suas ações eram desempenhadas ali, confortavelmente, onde se sentia segura. Aquele se tornou seu verdadeiro e único lar. Ninguém entrava sem seu consentimento. Naquela câmara, ela era suprema.

Quando a jovem chegou, arrastada por dois guardas e jogada diante dela, suas mãos tremiam, e as lamúrias irritaram tanto a Baronesa, que ela solicitou:

— Guarda, corte a língua dessa rameira.

O homem desembainhou um punhal largo, segurou com uma mão a região do maxilar da garota e exerceu uma pressão fortíssima, quase deslocando o osso, para forçá-la a colocar a língua para fora. Em um ato de puro desespero, alimentado pela autopreservação que tempera o espírito de qualquer ser vivente, a criada sacudiu-se e, conseguindo escapar da pegada do outro por uma fração de segundos, gritou:

— Eu tenho algo que a senhora quer!

Uma bofetada raivosa do guarda abriu um corte em seu supercílio e quase lhe tirou os sentidos, mas, antes que ele pudesse retomar a ação anterior, a Baronesa ergueu a mão pedindo que se contivesse, e perguntou:

— Você tem algo que quero? E o que poderia uma vagabunda como você me oferecer que eu já não tenha?

— Informação! A verdade, minha senhora!

— Sobre o quê?

— Primeiro, preciso de sua palavra de que minha vida será poupada.

— Sua vida será poupada. Agora fale o que quero ouvir!

A criada, desconfiada pela facilidade da barganha, percebeu que não tinha obrigado a Baronesa a fazer o juramento certo. Sua vida poderia ser poupada, mas nada impedia que, mesmo assim, ela sofresse horrores vis. Tentou consertar a situação:

— Prometa que não serei ferida!

A súbita exigência irritou a mulher, que era uma pessoa de temperamento tão curto quanto explosivo. Com os olhos premidos de ira e os dentes cerrados, ela falou ao homem:

— Dê-me sua arma.

Ele prontamente entregou o punhal à soberana, que o segurou com certa dificuldade. Era uma lâmina de aço longa, de um palmo e meio, com gume dos dois lados e cabo grosso, revestido com fitas de couro. A arma de um guerreiro.

— Segure-a firme!

A criada, pequena e mirrada, não teve a menor chance contra os braços que envolveram seu corpo e imobilizaram seus membros. O outro guarda permaneceu no canto, observando a cena de longe, com certa repulsa. Diferente de seus colegas de profissão, ele não aprovava as bestialidades que eram cometidas naquela câmara, mas nada podia fazer para evitá-las. Seria loucura ir contra as ordens da Baronesa, e aquele não era um emprego qualquer do qual você simplesmente se demitia, portanto, ele fazia a mesma coisa que a maioria: suportava. Ainda assim, sua postura fazia com que ele fosse chamado por seus pares de Bom Guarda.

Com imensa brutalidade, a Baronesa agarrou a gola do vestido surrado que a menina vestia e o puxou para baixo, rasgando-o de ponta a ponta. O corpo magro e alvo ficou exposto por inteiro, revelando seios bonitos e rígidos.

— Senhora, não, por favor. A senhora prometeu! — gritava a garota, debatendo-se sem parar, em vão. A mulher agarrou uma das mamas e apertou-a com força, até a região ficar roxa. Então, advertiu:

— Se não disser o que tem para me dizer agora, vou cortar seu seio fora, rameira. Depois, vou cortar o outro. E vou violentá-la com essa faca e cortar seus lábios. Vou cortar suas pálpebras para que não possa fechar os olhos e tenha que assistir a tudo. E vou pedir para o Cozinheiro, seu maldito pai, assar sua língua com sal e limão e servir-me no jantar! E ele vai fazê-lo sem sequer suspeitar que são partes da própria filha que estará cozinhando. Você compreendeu, rameira?

A criada, derramando-se em lágrimas, só conseguia implorar pela própria vida, até que a Baronesa falou:

— Se tiver algo de interessante a dizer, posso permitir que viva. Mas, se não gostar do que me revelar, juro por todos os demônios do inferno que implorará sua morte antes que o dia finde. Agora, fale!

A última palavra foi um berro enérgico, que fez a criada vomitar de uma única vez tudo o que tinha engasgado na garganta:

— Branca de Neve ainda vive!

A pegada firme da Baronesa no seio afrouxou. O sangue voltou a circular na região, e o roxo embranqueceu novamente. Os sobrolhos franzidos da Baronesa ficaram lisos à medida que sua expressão raivosa mudava para surpresa. A mão que segurava o punhal abaixou lentamente, como que hipnotizada. Boquiaberta, ela gaguejou:

— O quê?

— É verdade, minha senhora. Todos aqui sabem. Metade do castelo sabe. A senhora foi traída, e não é em mim que deve descarregar sua raiva. Sua enteada ainda vive, escondida em algum lugar da Floresta Negra, protegida por um bando de mineradores.

Passado o choque inicial, o ódio retornou com carga total e, puxando a criada pelos cabelos, com a lâmina pressionada contra seu pescoço, a Baronesa retrucou:

— O Caçador trouxe os pulmões e fígado dela, vagabunda! Eu os saboreei com um bom vinho! Que espécie de truque é esse que quer me pregar?

— Não é truque, minha senhora. Não brincaria com minha vida. O Caçador trouxe os órgãos de um cervo para enganá-la. Sua enteada ainda vive.

Um turbilhão de emoções tomou conta da mulher. Ela se afastou lentamente e foi se sentar na cama, cabisbaixa, sem saber no que pensar. "Traição", rosnava para si própria, "maldito Judas". A vida de Branca de Neve representava problemas imediatos. Ela era a herdeira oficial de todos os bens do Barão, e reclamá-los seria seu direito. Mas, por incrível que fosse, não era o que incomodava a mulher. Ela só pensava em sua própria vaidade, na beleza de uma criança que superava a dela, e o súbito lampejo de ciúme a nocauteou. Enfim, após longos minutos que se arrastaram como se o tempo tivesse parado por causa dos grãos entupindo a ampulheta, ela retomou a habitual energia e gritou, dirigindo-se ao Bom Guarda, sentinela que estava presente no quarto com as mãos livres e até então não tinha sido mais que um espectador dos fatos:

— Guarda! Reúna cinco homens e prenda o Caçador. Ele não deve ser ferido, mas tem de estar subjugado, entendeu?

— Sim, senhora!

— Levem-no para o calabouço e aguardem minhas ordens. Ninguém toca no homem a não ser eu! Ficou claro?

— Sim, senhora!

— E tem mais uma ordem.

— Pois não, senhora!

— Prenda também sua esposa e sua filha!

O Bom Guarda pareceu hesitar. Engoliu em seco de forma tão nítida, que seu colega, temendo por ele, chegou a fazer um discreto sinal para que saísse logo do cômodo. Porém, percebendo a oscilação do homem, a mulher rosnou por detrás de seus olhos ferinos:

— Algum problema?

— Não, senhora!

Ela se aproximou até ficar a poucos centímetros dele e o preveniu com seriedade:

— Se permitir que ele anteveja suas intenções, vocês terão problemas. Ele é um homem forte e corajoso. Sejam espertos e poupem a si próprios de tribulações!

— Não se preocupe, senhora. O traidor será trazido ao seu julgamento!

— Ótimo.

O homem deixou o quarto num chispar. A Baronesa andou em círculos pequenos, com as mãos para trás e a cabeça baixa. O outro guarda, que ainda segurava a filha do Cozinheiro, tomou coragem e perguntou:

— O que deve ser feito desta aqui, senhora?

Como se tivesse tomado súbita consciência da presença deles naquele momento, tendo saído de um transe místico, a Baronesa deu uma longa olhada para a moça, que chorava e implorava baixinho por sua vida, reafirmando sua fidelidade e tentando lembrar que uma promessa havia sido feita. A senhora aproximou-se, tocou o corpo nu da Criada como quem toca uma peça de arte, acariciando sem pressa os órgãos sexuais da moça. Enfim, como quem perde o interesse de um instante para o outro, dirigiu-se ao guarda e disse:

— Ela é sua. Possua-a! Agora!

A ordem surpreendeu até mesmo o homem, que replicou:

— Senhora? Aqui? Agora?

— Preciso repetir? Faça o que mandei. Eu quero ver. E não seja gentil!

A Baronesa deitou-se de forma afetada e teatral para assistir ao que de mais horrível pode acontecer a uma mulher. Embora a brutalidade fosse enorme, em duas ocasiões ela ordenou ao guarda, aos gritos:

— Mais forte! Mais forte!

Quando o homem terminou, em torno de quinze minutos depois, a garota sequer podia se mover.

— Leve-a daqui!

O guarda limpou o sangue de seu corpo da maneira que conseguiu, vestiu seu uniforme novamente e deixou a amargurada soberana a sós. Sua fúria era cataclísmica. E somente uma coisa poderia aplacá-la: a cabeça de Branca de Neve.

XV

Começou como uma leve brisa soprando naquela fatídica manhã. A brisa intensificou-se de forma gradual e logo se tornou um vento forte, que açoitava qualquer parte desprotegida do corpo como um chicote. Árvores foram arrancadas com raízes e tudo, e nas ruas era impossível andar com os olhos abertos por causa das nuvens de poeira que se erguiam. Os animais estavam irrequietos, cavalos debatiam-se nas cocheiras, galinhas corriam dentro dos cercados, cães uivavam com os rabos entre as pernas.

O céu azul foi mudando de cor até se tornar cinza-claro. Depois, granulado de chumbo, até que, no final da tarde, era uma massa rija de alcatrão, com raios e relâmpagos cortando-o de cima a baixo, explodindo em algum ponto distante no horizonte.

A chuva começou a cair no ocaso, e não parou durante três dias e quatro noites. O povo dizia que era o pranto divino, a forma que Deus encontrara para mostrar que estava triste com todas as abominações que vinham ocorrendo no castelo nos últimos tempos. O medo que tinham da Baronesa havia se transformado em ódio; um sentimento muito perigoso, causado pelos constantes abusos e, principalmente, por causa dos desaparecimentos. Àquela altura, não havia uma única pessoa no castelo que não tivesse visto um conhecido, parente ou amigo desaparecer. Ela sabia do descontentamento da criadagem, e era uma questão de tempo até uma rebelião eclodir. Mas confiava no gordo soldo que entregava aos guardas, e sabia que, enquanto os tivesse ao seu lado, sua vida e poder estavam assegurados.

O Caçador foi preso imediatamente após a ordem, arrancado da segurança de sua casa e arrastado, algemado como um criminoso comum. Ele ficou um dia inteiro no calabouço, sem água ou comida, completamente nu, tendo como companhia apenas ratos e baratas. Era o procedimento padrão para quebrar o espírito do prisioneiro. A humilhação se misturava à expectativa dos acontecimentos futuros. A raiva era amenizada, substituída por temor. Se fosse levado diante da Baronesa no exato instante de sua prisão, seria como encarar de frente um lobo selvagem, e uma fera recém-enjaulada é muito perigosa.

O homem foi levado para ver a Baronesa no segundo dia das chuvas. Sua esposa também tinha sido presa, porém, ninguém sabia dizer ao certo de que maneira acontecera, sua filha escapara. Provavelmente, recebera ajuda e favorecimento de alguém, fato que a senhora tinha ciência. Mas não faria mais muita diferença. Por ora, sua ira recairia sobre o homem que a traíra, e aquilo teria que bastar.

Ele foi amarrado com as mãos nas costas. Depois, um novo laço foi feito em torno dos punhos, e a extremidade da corda passada por sobre uma roldana. O pesado e robusto corpo foi, então, erguido. A dor lacerante recaiu toda sobre a musculatura dos ombros, que não demorou para ser distendida. O homem mordeu os lábios, mas não gritou. Durante o cárcere, condicionou sua mente e espírito, e jurou que qualquer coisa poderia acontecer consigo, mas não daria aquele prazer à Baronesa. De seus lábios não sairia grito algum! Assim prometera, e assim cumpriria!

Brasas incandescentes foram colocadas contra seus pés e queimaram a carne até o osso, uma tortura que levou horas a fio. Cada vez que o homem desmaiava de dor, era reanimado por baldes de água gelada, e o processo recomeçava até que a mulher se entediasse. Quando ela julgava que ele estava se acostumando àquela forma de dor, se é que aquilo fosse possível, mudava como causá-la.

— Dê-me um grito, Caçador!

— Jamais o terá!

— Trarei sua adorada esposa diante de seus olhos nus e causarei mais dor a ela do que poderá suportar.

— Ainda assim não terá meu grito, odiosa senhora. Esta é a minha vitória contra você, e isto é algo que não poderá tirar de mim jamais.

— Cortarei sua língua, insolente!

— Faça-o! E viva para sempre com o eco das minhas injúrias na cabeça!

Colérica, a mulher berrou como um corvo, maldizendo e praguejando. Ela arrancou as unhas do homem e cortou a pele que fica entre os dedos com uma faca cega. Arrancou um de seus olhos e esmagou os testículos com um martelo de ferreiro. Cortou suas orelhas e deixou o couro cabeludo em carne viva, ao arrancar com as próprias mãos todo seu cabelo, cacho por cacho. A tortura durou horas ininterruptas. Os guardas trocaram de turno mais de uma vez, e ainda assim ela não desistia.

Nem ele!

Caçador emitia grunhidos, debatia-se, rosnava e babava, mas sem gritar. Sem dar a ela o prazer que tanto queria.

— Por que, Caçador? Por que me traiu? Eu fui fiel à minha palavra. Sua família não foi tocada. Você tinha tudo o que um homem poderia querer. Por que me traiu?

— Porque você me tirou algo mais importante do que qualquer outra coisa... Minha honra!

— Honra? Honra? E o que é honra? Apenas uma palavra! Uma ideia! Quando me traiu e descumpriu minhas ordens, você não maculou sua honra? Não havia jurado obedecer a esta casa sob quaisquer circunstâncias? Não deveria ser para sempre meu vassalo e cumprir minhas vontades? Onde está a honra nisso?

O homem se exaltou:

— Eu jurei apoiar e defender um homem bom. Um homem honrado e valoroso, que cuidava de seus súditos. E o fiz durante anos. Mas nunca jurei defender uma meretriz usurpadora, que mata crianças inocentes na calada da noite. Não sou seu vassalo, senhora! E se minhas mãos estivessem livres, torceria seu pescoço, que é o que devia ter feito em nossa primeira audiência.

A Baronesa sentiu cada fibra de seu ser se contorcer de ódio.

– Onde está Branca de Neve? Fale, e sua mulher será agraciada com uma morte rápida!

Ele guardou silêncio. Ela esbofeteou a massa disforme em que seu rosto se tornara:

– Onde está Branca de Neve?

Silêncio!

Por fim, a megera deu meia-volta e gritou:

– Guarda! No braço!

A sentinela não titubeou. Sacou a espada com enorme velocidade e descreveu um violento golpe oblíquo, de cima para baixo. O corte acertou na linha do ombro, rompendo o músculo deltoide de ponta a ponta, expondo o osso. Uma cachoeira de sangue correu pelo braço, e ela, com a mão em forma de conchinha, colheu uma amostra do líquido e esfregou no meio do rosto dele, berrando histericamente:

– Vai suportar quando for sua esposa que estiver aqui? Aguentará vê-la sentir toda essa dor? Essa provação? Não era você que queria defendê-la a todo custo? Quando eu cortar os dedos dela e arrancar a pele do seu rosto, o que você fará? Quando enfiar uma lança em suas vergonhas, você me dirá o que quero saber? Será preciso chegar a tanto?

Entre grunhidos e cuspidas misturadas ao próprio sangue, o homem respondeu:

– Fiz minhas pazes com Deus! Eu e minha esposa partiremos em paz! Você, medusa, arderá no inferno.

Por algum motivo, ela não queria torturar a mulher. Na verdade, guardava verdadeiro asco de mulheres mais velhas, gordas e feias. Evitava-as como se estar próximo a elas fosse contaminá-la. Sua paixão e perversão giravam em torno de belas garotas, que guardavam em si o fruto sedutor da juventude, que a excitava. Mas, diante daquela provocação, ficou sem opções. Dirigiu-se ao guarda e falou, decidida:

– Traga a mulher!

Durante o tempo que aguardou a chegada de sua esposa, o Caçador nada disse. Orava silenciosamente, pedindo a Deus que o ajudasse a ser forte, pois os horrores físicos não seriam nada comparados ao que estava por vir. A Baronesa limitou-se a andar de um lado para o outro, frenética e impaciente, de uma maneira que ninguém jamais testemunhara antes. Enfim, ao longe, lá fora, no corredor, ambos escutaram as pesadas botas dos guardas castigando o chão. O coração do Caçador ficou apertado.

A porta foi aberta, e sua esposa atirada no chão diante dos pés do homem. Ao ver seu deplorável estado, a mulher começou a chorar de imediato, acariciando gentilmente o rosto do marido. O reconforto revigorou suas forças. Ele perguntou:

— Nossa filha?
— Segura!
— Deus é grande!

A Baronesa fez um sinal com a cabeça para que os guardas a afastassem dele, e eles obedeceram de prontidão. Agarrando-a por debaixo dos braços, literalmente a arrastaram para longe do marido. O pranto e protestos dela foram inúteis. Não havia calor no coração da senhora do castelo.

— Caçador, esta é a última proposta que tenho para você. Se me disser onde está Branca de Neve, darei uma morte limpa e rápida para você e sua esposa. Se abusar mais uma vez de minha boa vontade, liberarei os portões do inferno sobre seus espíritos!

Ele desviou o único olho para a esposa, que fez um discreto sinal de negação com a cabeça. A Baronesa, percebendo a comunicação não verbal entre ambos, rosnou como uma loba e ralhou:

— Que assim seja. Tirem a roupa dela e amarrem-na!

A seguir, ela apanhou uma barra de ferro e colocou no fogo da lareira, deixando-a lá, sem dizer nenhuma outra palavra, até que a ponta ficasse incandescente da cor do sol. Enfim, mostrando a aterradora extremidade que brilhava na câmara escura, preconizou:

— Se não posso ter seus gritos, Caçador, terei que me contentar com os dela!

XVI

A filha do Caçador chegou a Herrenberg quando a chuva já tinha parado de cair. Ela viajou completamente só durante quase quatro dias, uma atitude bastante arriscada e, sob outras circunstâncias, impensável. Para sua sorte, o enorme dilúvio que caía de maneira impiedosa dos céus favoreceu sua andança. Ladrões, assassinos, estupradores e o resto da escória não pareciam dispostos a sair de suas casas ou tabernas imundas para armar as eventuais arapucas que pegavam de supetão todo viajante desavisado que não dispunha de guarda armada para protegê-lo.

Sim, era um trajeto perigoso, especialmente para uma jovem sozinha, mas não havia opção. Era aquilo, ou morte certa nas mãos da Baronesa.

Quando Caçador foi preso, o que ninguém sabia é que a sentinela que o levou, o Bom Guarda, que recebera suas ordens diretamente da Baronesa, gozava, secretamente, de uma paixão por sua filha. Antes de jogá-lo no calabouço, fez uma proposta:

— Caro senhor, não posso evitar sua morte ou a de sua esposa, porém tenho amor no coração por sua filha.

— Se ajudá-la, ela será sua! Ofereço-lhe minha completa bênção para que ambos sejam felizes! — respondeu o prisioneiro, sem titubear.

— Diga-me o que posso fazer para mantê-la segura, e considere feito!

— Bom Guarda, direi algo além! Vejo que há lucidez em seus olhos. Percebo que você entende que essa loucura precisa ter um fim. Minha filha deve ir para Herrenberg, onde não só tenho amigos que poderão cuidar dela, como também existe uma chance de que ela encontre a senhorita Branca de Neve, legítima herdeira do Barão!

— Senhor? Meus ouvidos me enganam? Então é verdade? A senhorita vive! Cheguei a pensar que se tratava de um ardil contado pela filha do Cozinheiro para ganhar tempo...

— Não, Bom Guarda, você escutou bem. Não se trata de uma trama. Branca de Neve vive, e somente ela pode colocar um fim na escuridão que recaiu sobre nosso lar. Ela, e só ela, tem o poder para impedir que a Baronesa continue com seu reinado de insanidade. Se você tem um mínimo de bom-senso, coloque minha filha em um cavalo e mande-a procurar a Estalagem dos Lobos. Lá, ela deve se identificar como minha filha para a mulher que a receber, e depois deve iniciar uma investigação para apurar os fatos. Se, de fato, a senhorita Branca estiver viva e bem, então nosso caminho é claro e irreversível.

— Irei com ela, meu senhor!

— Não, por favor, não. Se eu e minha esposa estivermos aqui, a Baronesa satisfará suas vontades e não a perseguirá. Porém, se um dos guardas desertar, obrigatoriamente ele será perseguido pelos demais, pois esta é a lei, e o resultado será funesto. Instrua-a. Faça que obedeça minhas ordens, mas junte-se a ela somente quando for seguro. Se ela chegar até a estalagem, em Herrenberg, estará a salvo.

Bom Guarda obedeceu e, no exato instante em que o Caçador era atirado no calabouço, ele atuava nos bastidores para salvar a jovem garota. A urgência a impediu de chorar ou reclamar. Embora atordoada ao saber dos fatos, cumpriu o que lhe foi confiado, ciente da importância de sua missão. De posse de algumas moedas, comida e água recolhida às pressas somente para a viagem, e de um bom cavalo roubado da estrebaria, a menina foi colocada na estrada antes que a noite caísse.

Seu coração palpitava de medo, mas seu destino fora decidido à sua revelia.

Ela teve vários dias para refletir sobre o que fazer, cavalgando muito, descansando pouco. A chuva castigava seu corpo, e o vento parecia que às vezes derrubaria seu cavalo, mas ela sabia que não podia parar. Embora seus rastros fossem apagados pela enxurrada, a vantagem que obtivera pela ajuda do Bom Guarda precisava ser mantida, e era essencial para sua segurança e sobrevivência. Ela era jovem, muito jovem, e jamais soube com certeza se tinha sido sua língua inconsequente que condenara seus pais, embora em seu íntimo desconfiasse da verdade. As lágrimas correram por todo o caminho escarpado, disfarçadas pelas lágrimas de Deus que caíam do céu. Em momento algum a filha do Caçador tentou se enganar sobre o que tinha ocorrido aos seus pais, ela sabia que jamais os veria novamente. Restava-lhe, portanto, somente a possibilidade concreta de libertar o castelo do jugo de uma Górgona, para assim desposar o Bom Guarda, um homem que arriscara a própria segurança para ajudá-la!

Ao chegar à Estalagem dos Lobos, a garota estava fraca e doente. Padecia de uma tosse forte e constante, presente do açoite da chuva, e parecia desnutrida e exausta. Queimava com uma febre incandescente, que lhe causava alucinações e a fazia dizer coisas sem sentido. Sequer teve forças para se apresentar adequadamente à dona do lugar; ao chegar, trôpega e esfarrapada, desmaiou em meio ao saguão lotado, derrubando duas mesas ao cair.

O lugar, reduto de pessoas decentes e de confiança, era gerido por uma senhora gorda e bem-humorada, com uma pinta grossa e peluda na ponta do queixo, os vastos seios premidos por um vestido avermelhado e espalhafatoso, e um pano sobre os cabelos castanhos. Ela ordenou a seus funcionários que apanhassem a menina desmaiada e a levassem para dentro. Cuidou também do fiel cavalo, que se esforçara durante todo o longo trajeto, o que era evidente pelo estado em que o pobre animal se encontrava.

A filha do Caçador dormiu durante três dias seguidos, ardendo em febre. Acordava somente para tomar um pouco de chá de ervas, mas sem conseguir dizer nada nos breves lapsos de vigília que chegou a ter.

Ao despertar, findo esse período, estava desorientada e fraca. Olhou ao seu redor e percebeu que se encontrava em um quarto simples de madeira, iluminado por uma fraca lamparina a óleo. A cama era estreita e dura, e ela conseguia escutar ao longe, bem baixinho e abafado, o barulho de pessoas conversando, provavelmente vindo do salão. Quando uma serva viu que a moça estava desperta, a Estalajadeira foi chamada para conversar com ela, mas não antes que esta fosse devidamente alimentada. A jovem comeu um filé duro e gorduroso, com batatas assadas e brócolis. Com suas forças renovadas, ela se sentiu, afinal, digna.

— Você nos pregou um enorme susto, minha querida. Por um momento chegamos a pensar que não sobreviveria — disse a Estalajadeira, puxando uma cadeira e sentando-se bem de frente para a cama.

Deitada no leito, usando roupas íntimas que não eram suas, a filha do Caçador perguntou:

— Esta é a Estalagem dos Lobos?

— Sim, senhorita.

— Então estou no lugar certo. Se a senhora for a proprietária, é com a senhora que preciso falar.

— Sim, sou a Estalajadeira. De que se trata?

A garota narrou os fatos com o máximo de clareza que conseguiu. Quando terminou, os olhos da mulher estavam cheios de lágrimas.

— O Caçador está morto? — ela indagou, mostrando conhecer o homem.

— Sim, minha senhora. Eu não vi com meus próprios olhos, mas meu coração sabe que ele não sobreviveria à ira da Baronesa. O inferno caiu sobre todos que moram naquele castelo.

Sem mais dizer, a Estalajadeira levantou-se, foi até a porta do quarto, e gritou:

— Filho, preciso que venha até aqui imediatamente!

Retornou, então, até a cama e, limpando as lágrimas, disse:

— Querida, há um motivo pelo qual seu pai pediu que viesse até aqui.

— Ele disse que vocês são pessoas de confiança.

— E ele estava certo. Mas há um motivo para isto também. Você sabe que seu pai viajava muito, não?

— Sim, claro. Ele passava semanas caçando.

— É verdade. E um dos lugares que ele vinha com muita constância era para Herrenberg.

Naquele instante, entrou no quarto um jovem robusto, pouco mais velho que a filha do Caçador. A garota tomou um susto, ao reconhecer no garoto as feições de seu pai. A Estalajadeira, observando a troca de olhares entre ambos, falou:

— Percebo que você já enxergou a verdade, querida... Não, seus olhos não a enganam. Este é seu irmão. Meu filho. Filho do seu pai, meu eterno querido. E nós estamos aqui para ajudá-la no que precisar.

A jovem não tinha palavras. Gaguejou, como se a informação entrasse lentamente em sua mente:

— Irmão... Meu irmão... Seu filho...

— Sim. Seu pai, o Caçador, não era meu marido. Mas ele tinha uma família aqui. E sempre cuidou de nós da forma como pôde. Sua mãe sempre soube da verdade e, embora eu desconfie de que ela não gostasse, jamais colocou seu pai contra a parede. Mas agora isso tudo é passado, e novos ventos sopram do horizonte. Temos de nos adequar às situações e, em honra à memória de seu pai, é minha obrigação tomar conta de você, criança!

A revelação não era surpresa para o filho da Estalajadeira, que aparentemente conhecia toda a verdade, porém foi uma hecatombe para a garota que, de repente, se viu cercada por uma nova família. Ela não sabia se ria ou chorava, se recriminava seu pai ou o abençoava por ter, naquele instante, alguém a quem recorrer. Decidida a engolir seus sentimentos como o fizera até então, preferiu ater-se à missão. Qualquer outra coisa poderia ficar para depois:

— E agora? — ela perguntou, pedindo orientação à mulher, que tinha a voz da experiência.

— Primeiro, você recuperará suas forças. Isto é o mais importante.

— E depois?

— Depois iremos atrás dos mineradores.
— A senhora os conhece?
— Todos os conhecem! São pessoas difíceis e inacessíveis, homens brutos que não se envolvem em questões da comunidade, e vivem uma vida completamente à parte. Mas se há alguma verdade nas histórias, a garota Branca de Neve precisa ser alertada do que está acontecendo no castelo de seu pai.

A menina chorou, inconsolável:
— Mas a Baronesa tem homens armados sob seu comando...
— Uma coisa por vez, criança. Guardas não são as únicas pessoas perigosas no mundo. Se o único problema for um confronto armado, daremos um jeito. Primeiro, recupere-se, depois, encontre Branca de Neve, e aí veremos.

Ficaram um pouco em silêncio. Desconfortável silêncio. Enfim, a garota perguntou:
— Por que está me ajudando?
— Seu pai, o homem que amo... Amei... Não, amo. Ele nunca foi meu marido, mas foi o único homem que tive. O pai do meu filho. Devo isso a ele. Essa mulher... Essa odiosa Baronesa... Ela tirou meu único amor. Destruiu vidas demais, e isso tem que parar!

XVII

Branca vivia de forma despreocupada, um dia após o outro, alheia a todas as maquinações e intrigas que ocorriam a centenas de quilômetros de distância do seu novo lar. Certa noite, os mineradores chegaram, como de costume, mas não lhe dirigiram a palavra. Estavam quietos e abatidos e, por mais que ela perguntasse o que tinha ocorrido, nada lhe disseram. Branca ficou preocupadíssima, pois estava habituada a cantorias, histórias divertidas e muitas risadas. A hora do jantar era sempre alegre, uma grande confraternização. Era quando todos esqueciam as durezas da vida, suas dificuldades, os estorvos e obstáculos, e apenas viviam o momento. Algo tinha acontecido, mas o quê?

Após se lavarem, os sete se sentaram para comer, ainda calados como túmulos. Triste e incomodada, vendo-os remexer a comida nos pratos sem sequer levá-la à boca, ela questionou mais uma vez:

— Por favor, meus queridos, contem o que se sucedeu. Seu silêncio está me deixando agoniada. Não posso lidar com esse desassossego.

Minerador Líder, sentado ao lado dela, disse:

— Estávamos, como de costume, escavando a mina, quando algo aconteceu.

— O quê? Um desmoronamento? Um roubo? Um acidente? Por favor, não me deixe no escuro.

De repente, ele sorriu e respondeu:

— Jamais ficaremos no escuro novamente, minha querida. Nenhum de nós.

Todos, então, abriram largos sorrisos, e ele colocou sobre a mesa uma enorme pepita dourada, do tamanho de um punho. Branca de Neve arregalou os olhos, apanhou o objeto e sentiu seu coração disparar:

— Senhores, isto é o que estou pensando que é?

— Sim, senhorita. Descobrimos ouro! — ele gritou, segurando longamente a primeira letra. — Ouro!

E, na sequência, todos gritaram de exultação, levantaram-se e se abraçaram mutuamente. Branca, com os olhos cheios de lágrimas, regozijou-se enquanto dançava pela sala, mesmo sem música:

— Seus tratantes. Cheguei a acreditar que uma desgraça sucedera.

— Nada de desgraça, minha querida — respondeu Minerador Gordo. — Mas fortuna! Todos esses anos de trabalho duro foram, afinal, recompensados. Fortuna! Jamais passaremos necessidade novamente, e poderemos ter tudo o que sempre sonhamos!

— E agora? — ela perguntou.

— Ainda há muito para ser feito, criança — respondeu Minerador Líder, servindo de par para ela na dança silenciosa. — Não sabemos a extensão do filão. Pode ser apenas um pequeno veio.

— Mas duvidamos disso — complementou Minerador Ruivo. — Quando terminarmos a extração, venderemos a quem pagar melhor. E ainda será possível repassar a velha mina, quer ela esteja esgotada ou não. Sempre há alguém disposto a pagar. Poderemos, afinal, ter uma vida digna.

Eles dançaram até a exaustão, e a comida esfriou no prato de todos. O vinho, porém, foi sorvido até a última gota.

Os dias seguintes foram de expectativa, que logo se transformou em agradável certeza. Quanto mais escavavam, mais os mineradores perceberam que estavam diante de uma quantidade enorme de ouro. Em certas partes, o filão ficava tão puro, que rochas inteiras douradas eram retiradas, sem nenhum grão de outro metal para contaminá-las, algumas tão grandes que não podiam ser carregadas por um homem sozinho. Foram dias de júbilo e contentamento, e os oito moradores da pequena cabana sorriam e faziam planos para o futuro.

— Uma casa com uma horta e alguns animais. É o que quero. Uma vida sossegada e uma esposa gorda e assanhada que me dê oito filhos — disse Minerador Alto.

— Eu penso em tentar a vida no exterior. Quero ter a chance de estudar, quem sabe ser um estadista — falou Minerador Líder.

— Ah! Você está velho demais para estudar.

— E é burro demais. Ninguém irá aceitá-lo.

— Para o inferno, vocês. Com minha parte do ouro, poderei comprar minha própria escola!

Era demasiada a alegria da pequena cabana. Chegava a transbordar, e não se passava um dia sem que os mineradores chegassem do trabalho com um sorriso ainda maior que no dia anterior. Viviam o maior momento de suas vidas. Branca de Neve tinha simpatia pelos sonhos de seus amigos, mas, em seu íntimo, não partilhava da mesma empolgação. Claro, ela já conhecera a riqueza em sua outra vida, e sabia que dinheiro, por si só, não trazia dignidade. Embora sentisse falta de certas comodidades, vivia naquela rústica cabana a vida mais plena que já tivera. Estremecia ante a possibilidade de ver findar uma realidade que aprendera a amar, apesar de o trabalho ter criado calos em suas mãos e enrijecido os músculos dos braços. Não se imaginava mais longe da floresta, dos animais e da paz que conquistara. Também havia se afeiçoado aos sete mineradores, e ainda que compreendesse que eles queriam uma vida comum, constituir família e viver em paz, deixando para trás os dias difíceis e desgastantes de escavação, ela rezava todas as noites para que Deus protelasse ao máximo possível a debandada deles.

Foi na tarde do décimo terceiro dia após a descoberta do ouro que um novo fato aconteceu. Chegou à cabana um jovem que ela desconhecia, acompanhado de uma moça montada em um burrico, cuja fisionomia lhe era familiar. Branca os viu de longe e, temerosa, foi para dentro da cabana e fechou a porta. Ela não via ninguém a não ser os mineradores desde aquele dia fatídico na floresta, e suas experiências lhe ensinaram a ser prática e ressabiada. O rapaz, parado na frente da casa, gritou ao ver as janelas abertas e fumaça saindo da cozinha:

— Procuramos a senhorita chamada Branca de Neve. Trazemos notícias sobre seu pai.

Ao escutar a menção ao Barão, Branca apareceu na janela e resmungou, mal-humorada:

— Eu sou aquela que procuram. O que desejam?

— Senhorita — adiantou-se a moça. — Eu sou a filha do Caçador. Com um pouco de sorte, a senhora se lembrará de mim, já que nos encontramos em algumas ocasiões durante o período em que esteve no castelo de seu pai.

— Sim, eu me lembro de você. E também me lembro de seu pai, o Caçador — a menção ao nome despertou sentimentos conflitantes em Branca de Neve. Ela não sabia se odiava o homem que tentara matá-la, ou se era agradecida ao homem que a poupara, já que ambos residiam no mesmo corpo e partilhavam a mesma alma. — O que quer?

— Senhorita, trago-lhe terríveis notícias. Meu pai, assim como o seu, está morto. Ambos foram assassinados pela crueldade de sua madrasta. O castelo tornou-se um antro de maldade e loucura. É o lar do demônio e de todas as coisas ruins. Pessoas são mortas e torturadas todas as semanas. O medo tomou o coração de todos. Senhorita... — ela modulou a voz para um tom de súplica. — Vim até aqui com a ajuda deste jovem, meu meio-irmão, filho da Estalajadeira, a mando do meu pai, respeitando sua última ordem e desejo. Vim até aqui para conversar com a senhorita e colocá-la a par do que está acontecendo. Vim fazer-lhe uma súplica desesperada.

Não querendo se envolver com nada daquilo, Branca respondeu:

— Nada disso me importa mais. Minha vida passada deve ficar no passado. Hoje vivo em harmonia com as criaturas da mata. Não tenho mais interesse no que ficou para trás, na distante Bavária.

— Senhorita — interferiu o filho da Estalajadeira. — Quanto tempo acha que levará até a ira da Baronesa alcançá-la? Se nós chegamos até aqui, o que a faz pensar que ela também não chegará? A Baronesa tem meios para tanto, como bem sabe. E sua vontade é inquebrantável. Sua alma é um poço de alcatrão, suas palavras venenosas, e seus olhos os de uma loba. Por favor, permita-nos entrar e discutir o assunto, pois se há uma certeza, é esta: a luta chegará até a senhorita, ainda que a senhorita queira dela se afastar.

Branca sentiu-se indecisa. As palavras do jovem faziam sentido, mas não era fácil simplesmente abdicar daquele um ano de paz que tivera e permitir que tamanho turbilhão tomasse sua vida de assalto, de uma hora para outra. Após ponderar um pouco, disse:

— Tudo bem, mas só poderão entrar quando os verdadeiros donos da casa chegarem. Até então, aguardem do lado de fora.

Quando já estava anoitecendo, os mineradores surpreenderam-se, na volta da mina, ao dar com aqueles dois intrusos em seu quintal. Com lâminas em punho e olhares nada amistosos, preparavam-se para interrogá-los quando Branca abriu a porta e disse:

— Está tudo bem, queridos. Eles são meus convidados.

Havia dois lugares a mais na mesa. A comida cheirava muito bem. Todos entraram em silêncio, e Branca de Neve pediu que os convidados se sentassem bem no centro. Jantaram rapidamente, sem conversa. Minerador Líder manteve um punhal ao alcance da mão, e não tirava os olhos dos dois intrusos. Embora tivessem aparência inofensiva, a vida havia lhe ensinado que lobos vestem pele de ovelha com demasiada frequência. Os convidados sentiam olhares que eram como agulhas sobre si. Enfim, com a barriga cheia, Branca pediu que a dupla recém-chegada narrasse em detalhes sua história, sem omitir coisa alguma. Quando a filha do Caçador terminou o relato, fez um apelo com lágrimas nos olhos:

— Senhorita. Entendo que sua antiga vida tenha ficado para trás, mas gostaria de lembrá-la que tem uma obrigação filial para com seu pai. Deve honrar o nome dele, que teve uma morte abrupta e dolorosa.

— Eu decido minhas obrigações filiais! — respondeu Branca, de forma ríspida. Ela não permitiria nunca mais que alguém dissesse o que tinha ou não de fazer. — Há alguma evidência de que a morte do meu pai tenha sido causada por minha madrasta?

— Não, senhorita. Mas nenhum de nós tem dúvidas quanto a isso. O súbito mal que o acometeu foi... estranho. Se a senhorita ao menos visse o que aconteceu com seu lar...

— Este é meu lar agora, moça!

Branca expressava-se de uma forma tão dura, que nem mesmo os mineradores tinham visto antes. Seu olhar era sólido, e sua postura, ativa e decidida. Não havia inflexões em sua voz. A outra se encolheu, abaixando a cabeça e, entre murmúrios quase inaudíveis, disse:

— Então, ao menos considere o débito que tem para com meu pai, que, ao poupar sua vida, condenou a todos nós.

— Não ouse jogar essa responsabilidade sobre as costas dela! – rosnou Minerador Líder. – Seu pai a trouxe até aqui para a morte!

— Não o faria se houvesse alternativa, senhor. Meu pai foi um homem honrado, e sua honra o motivo de nossa desgraça. Subsiste aqui a única verdade que importa: o castelo de seu pai morre, senhorita. E sentada bem à minha frente, jaz a única esperança de salvação.

— E o que você ganha com isso? – retrucou o homem. – Não tem mais pais vivos; portanto, nada a prende àquele lugar!

— Ganho a chance de viver com o homem que arriscou tudo para me salvar.

Ponderado, Minerador Ruivo, que até então apenas escutava, exclamou:

— Ela tem razão, senhorita Branca. Você é a herdeira legítima de seu pai. Não pode permitir tamanha afronta à memória dele.

Minerador Líder bateu na mesa, elevando a voz:

— Colocaria a segurança dela em risco?

— Sua segurança já está em risco! Não percebe? Agora que sabe que ela está viva, a Baronesa jamais descansará até colocar suas garras nela – respondeu o outro, seguro do que falava.

Minerador Moreno se intrometeu, alertando:

— Haverá sangue. Estão preparados para isso?

Minerador Ruivo mostrou estar disposto ao que fosse necessário:

— A Baronesa verá que está lidando com lobos, e não raposas. Ela não sabe o tamanho do vespeiro que cutucou.

Até então observando a discussão, Branca tentou trazer lucidez, falando:

— Mas sete homens não podem subjugar uma guarda completa e bem treinada como a dela. Vocês não são guerreiros, apesar da boa vontade.

— Há coisas sobre nosso passado que desconhece, formosa senhorita – disse Minerador Gordo.

Compreendendo a mensagem, Branca argumentou:

— Mas nada nos garante que os guardas irão acatar minhas ordens quando estivermos lá. Eles podem reconhecer meu direito, ou simplesmente lutar até a morte!

— Você é a herdeira legítima! — replicou a filha do Caçador.

— E desde quando bom-senso é capaz de vencer pelejas? A história nos mostra que os piedosos enchem as valas, e os tiranos, os cofres.

Tendo refletido brevemente, Minerador Líder lançou uma pergunta direta a Branca:

— Querida, esqueça todas as variáveis. Minha pergunta é: você quer fazer isso? Saiba que nós a apoiaremos qualquer que seja sua decisão!

Branca ficou muda. Sentiu uma raiva enorme queimar dentro de si à medida que a conversa trazia à tona memórias até então enterradas, e os detalhes narrados jogavam luz em uma nova e odiosa realidade.

— Senhorita, por favor — implorou a filha do Caçador. — Essa mulher ofendeu todas as leis de Deus. Sua própria existência é uma ofensa à criação. Ela precisa ser parada.

Olhando com firmeza para o Minerador Líder, Branca inquiriu:

— Suponha que eu decida enfrentá-la... Como faríamos isso? Como sete enfrentarão muitos?

— Com isto — ele respondeu, colocando uma pesada pepita de ouro sobre a mesa. — E com a ajuda de Deus!

De prontidão, ela retrucou:

— Este é o futuro de vocês! Jamais poderia pedir que abdicassem dele em nome dessa cruzada insensata. Não é a sua luta, mas a minha!

— Você é nossa irmã. Nossa mãe. Nossa filha. E quem sabe, um dia, seja a esposa de um de nós. Sua luta é também a nossa.

— Mas esse ouro representa o futuro de vocês. De todos vocês...

— Você é rica, não? Terá fortuna suficiente para nos pagar o que achar justo quando nos sagrarmos vitoriosos.

Minerador Ruivo disse:

— Temos ouro suficiente para levar trinta homens conosco. Talvez mais!

— Mercenários? — perguntou o filho da Estalajadeira.

— O tipo mais confiável de homens — ele respondeu. — Aquele que sabemos os motivos pelos quais luta.

Branca fechou os olhos. Ela não queria nada daquilo. Não pedira nada daquilo. O destino a havia alcançado, mesmo tendo ela tergiversado ao máximo. Ela não era uma garota complicada; na verdade, só o que queria era uma vida simples e sem problemas. Mas parecia que, por mais que tentasse sair das intempéries, elas insistiam em trazê-la de volta, arrastá-la para o olho do furacão. Por que não podia simplesmente ser deixada em paz? A verdade batia à porta, calcinando seus sonhos e expectativas. Percebendo que, enquanto sua madrasta vivesse, ela jamais teria sossego, abriu os olhos, decidida:

– Tudo bem. Temos um acordo. Vamos reagir!

Os mineradores bateram na mesa e gritaram de emoção. Encheram as canecas de vinho e reagiram de forma selvagem, antecipando o sabor da luta que estava por vir. A mudança de humor era impressionante. E Branca, embora apreensiva, experimentou pela primeira vez o sabor da vingança, mesmo que somente uma expectativa dela, e percebeu que seu gosto era doce. A filha do Caçador e o filho da Estalajadeira sorriram. Enfim, havia alguma esperança.

XVIII

– Ah, espelho. Se você pudesse falar, o que me diria? – exclamou a Baronesa, sua voz ríspida e tenebrosa, como um deus irado cerrando os punhos e esmagando sem dó os pobres mortais que ousavam olhar para cima. – Busco suas palavras, mas só encontro silêncio. Só encontro vazio. Tudo parece se diluir ao meu redor, derreter. A chama da existência é somente isso? Oca? Uma lacuna? Um vácuo? Uma torturante busca para ser relevante, para ser grande, para ser lembrada, para ser temida, porém sempre frustrada pelas próprias limitações e expectativas? Sempre limitada pelos desejos não atendidos e fracassos retumbantes? Porque não importa o que uma pessoa faça, no final, ela sempre irá perder sua derradeira batalha. Não é assim? Permito que você reflita minha imagem e com isso o tornei o ente inanimado mais belo deste planeta, o mais formoso. Mas, se assim é, então por que não me sinto a mais bela? De onde surgiram as incertezas? O que está faltando para a plenitude ser alcançada? Por que aquela maldita criatura tinha que estar viva, e em meu caminho, para ameaçar tudo o que obtive com tamanho esforço? Para desconectar meus laços com o divino e fazer com que duvidasse de mim mesma? Olhe para mim, espelho! Olhe para os meus olhos, minha pele, meus cabelos, minha boca, meu nariz, meu pescoço, minhas mãos, meu corpo... Olhe e diga se esta não é a visão do paraíso! Preciso que me diga em voz alta, e que sua voz me dê forças para fazer o que tenho de fazer.

O olhar dela parecia sem vida, estático, cavo. Suas palavras eram forçadas e sem a convicção de outrora. Não havia brilho no tom empregado, não mais havia firmeza. Tudo era uma cavidade em branco. Uma ruptura em sua alma havia decretado a insegurança, e os fantasmas da perda a ameaçavam, deformavam e deturpavam seu senso.

O Caçador e sua esposa foram fiéis até o último momento. A Baronesa viu a vida minguar dentro de ambos, observou profundamente até a última chama se extinguir, porém, nada do que fez adiantou. Ela não conseguiu arrancar uma única palavra deles sobre o paradeiro de Branca de Neve. Talvez, se a filha do casal tivesse sido capturada... Mas não adiantava mais pensar naquilo agora.

— O que diria destes olhos que o encaram de volta, adorado espelho? Olhos que brilham como duas safiras, preciosos, odiosos, raros, suntuosos?

Não havia mais fartura em sua voz. Somente rancor.

Ela fez uma pausa. Tocou levemente a face refletida com a ponta dos dedos e se aproximou devagar do objeto, até encostar todo o corpo na superfície gelada. Enfim, colou a lateral do rosto com a ternura de um amante e fechou os olhos, falando com surpreendente doçura:

— Trago dentro de mim a força vingativa das Fúrias e a vontade férrea dos heróis mitológicos, mas não sou heroína ou agente da vingança, sou?

A fragilidade do momento foi subitamente interrompida por um redemoinho que ameaçava tragar sua substância para uma imensidão de matéria negra. Ela levou as mãos à cabeça, pressionando-a com força e, rodopiando dentro do quarto como um pião, atirou-se ao chão. Seus gritos de dor fizeram com que os guardas, do lado de fora, entrassem de imediato e testemunhassem a cena: sua senhora, parecendo possuída por entidades malignas, derrubava castiçais, vasos e enfeites, completamente fora de si. Era uma figura patética e triste, perdida e acuada, uma imagem decadente, como uma promessa esquecida; mesmo assim eles não encaravam. Na verdade, sequer pensavam demais no assunto; apenas viviam um dia após o outro no castelo. Ajudaram-na a se recompor e, enquanto a punham de pé, perguntaram:

— Senhora, está tudo bem?

— Faça parar! Maldição, faça parar... — era o que ela repetia, emendando uma frase na outra, debatendo-se como se a força grotesca que a possuía tivesse tomado o controle de todas as suas faculdades físicas.

Eles forçaram-na a se deitar na cama, segurando-a, contra sua vontade, até que se acalmasse. A bocarra aberta, gritando sem produzir som, com um filete de baba amarrando a arcada superior à inferior; os olhos arregalados, vermelhos e trincados pela privação do sono; a pele pálida que há tempos não era tocada diretamente pela luz do sol, com suas veias à mostra nos braços e busto; os cabelos arrumados de forma antiquada, que lhe davam aspecto de um século de idade... Tudo contribuía para torná-la uma criatura assustadora. Tocá-la chegava a causar asco. Ainda assim, respeitosos, os homens a ajudaram.

Enfim, a mulher se acalmou.

— A senhora precisa de alguma coisa?

— Não. Deixem-me só.

Eles obedeceram sem titubear.

O que eram aqueles rompantes que a assaltavam de tempos em tempos e, cada vez mais, se tornavam violentas odes ao macabro? O coração da Baronesa estava disparado, mas ela percebeu que não era por causa do intenso esforço físico que fizera. Faltava-lhe o ar, como se estivesse no topo das montanhas que visitou em sua juventude. Calafrios corriam-lhe da coluna até as mãos, e de volta para a coluna. Suas pálpebras tinham espasmos involuntários, como se tivessem adquirido vida própria. Ao ver os guardas darem as costas, prestes a cumprir sua ordem expressa, ela se deu conta de que não queria estar só, e perguntou a si própria: "Será isso o medo?".

— Guarda, espere! — bradou, dirigindo-se a um deles.

— Senhora?

— Eu... Espere... Faça o... Não... Envie o Violinista! — ela gaguejou, como quem não sabe o que quer ou o que dizer, até que expressou a primeira coisa que lhe veio à cabeça.

— Sim, senhora.

O período que aguardou pela vinda do músico pareceu uma eternidade. Quando ele finalmente chegou, parecia assustado, como todos ficavam ao serem chamados ao quarto da mulher; mesmo alguém como ele, que sabia ser precioso para o castelo. Os últimos tempos não tinham sido nada fáceis, e o grau de tensão era tanto que não havia uma única pessoa que se sentisse cem por cento segura. Ele foi anunciado pelo guarda e entrou. Fez uma reverência tradicional e ficou na posição para começar a tocar, aguardando o pedido dela. Longos minutos se passaram sem que a Baronesa dissesse uma única palavra. De fato, ela parecia alheia à presença dele, com o olhar estático em algum ponto. Se enxergava algo, talvez estivesse apenas em sua mente.

A constrangedora situação pregava peças no músico, que não sabia se devia aguardar indefinidamente pela ordem da sua senhora ou se perguntava o que ela queria ouvir. Não era possível saber qual das duas alternativas poderia satisfazer mais os anseios da Medeia. Enfim, vencido pelo nervosismo, ele decidiu indagar:

– Senhora? Alguma preferência?

A expressão distante que até então demonstrava se transformou instantaneamente em um olhar rancoroso, e ele percebeu que fizera a opção errada.

– Remova suas roupas!

Ele gaguejou:

– S-s-senhora?

Ela não respondeu, apenas fez um sinal com os dedos, mandando-o prosseguir. Engolindo em seco, o homem colocou o violino no chão e foi, lentamente, se despindo até ficar completamente nu. Ela observou-o por intermináveis minutos, e com tamanha intensidade, que a sensação experimentada era que seus olhos pudessem dissecá-lo. Enfim, a mulher rosnou:

– Você não tem vergonha de ser o que é?

– Não compreendi, senhora.

– Um quase anão, peludo e barrigudo, com pernas curtas e braços longos. Você é praticamente um símio, um ser primitivo. Seus cabelos são ralos e ensebados. Seu pênis é pequeno e enrugado. Duvido que ele seja capaz de satisfazer alguma mulher. Você causa nojo com toda essa sua feiura.

Sem saber o que dizer, o Violinista apenas abaixou a cabeça e resmungou:

– Perdoe-me, senhora...

Ela se levantou (era, de fato, bem mais alta que ele) e ralhou:

– Este é um mundo de beleza. Por que criaturas como você merecem viver?

— Senhora, eu tenho o dom da música. Evoco outro tipo de beleza...

A resposta foi imediata, e saiu da boca do homem sem que tivesse pensado nela. O Violinista vivia apenas para sua arte, praticando incansavelmente a fim de dominar seu ofício. Ele tocava quando estava triste, tocava quando estava feliz, tocava como forma de trabalho, tocava como forma de diversão. O violino era uma extensão do seu braço, uma parte direta de si mesmo, seu alimento, seu confidente, seu amigo, seu alento. Era seu filho, seu amante e sua salvação nas noites escuras, frias e solitárias. Ele não confiava plenamente em nada mais no mundo, exceto em seu instrumento.

— Não existe outro tipo de beleza, anão! — ela ralhou com energia.

— Ah, senhora, mas existe. Existe o sublime, que nos faz cavalgar nas nuvens. E essa pujança, essa seiva maravilhosa que nos arrebata às alturas... Ela só vem por meio da música.

Reconhecendo que havia certo valor na resposta dele, a Baronesa tornou a se sentar e perguntou:

— E o que é a música para você?

— Senhora, é a única arte que existe capaz de mover o coração dos homens e levá-lo mais próximo de Deus. A música fortalece o espírito. É um sopro de vida. É a única linguagem universal, exceto pelo amor.

— A música é maior que o teatro?

— Sim, senhora.

— A pintura?

— Sim, senhora.

— A escultura?

— Sim, senhora. Todas essas são artes maravilhosas e gozam de suas particularidades. Seus artesãos merecem nosso afeto e admiração. Mas, ao fechar os olhos escutando uma melodia tocada por meu violino, sentimos como se estivéssemos ao lado dos anjos, de mãos dadas com a mãe natureza. A música, senhora, é a voz de Deus.

— Acha que o Todo-poderoso fala com os homens através dela?

— Eu tenho certeza, minha senhora! Padres, monges e ministros dizem que Ele sussurra nos seus ouvidos todas as noites. Não sei quanto a isso, mas sei que, quando seguro o arco e com ele toco as cordas, tudo o que existe ao meu redor se eleva. O que pode haver de mais divinal do que isso?

A Baronesa ficou pensativa. Haveria alguma verdade nas palavras do Violinista? Ela própria era uma amante da música, e reconhecia suas propriedades curativas. Mas aquela não era uma noite de complacência, e sim de provação! Levantou-se, foi até a cômoda e abriu a gaveta, de onde tirou um pequeno frasco de vidro transparente, com um líquido acastanhado dentro.

– Sabe o que é isso, Violinista?

Claro que ele sabia. Quem na face do planeta não era capaz de reconhecer, mesmo de longe, o láudano, líquido inebriante preparado a partir da papoula? Ele já conhecera várias pessoas que se perderam na vida viciadas em ópio, mas nada disse, preferindo fazer-se de idiota:

– Não, minha senhora.

– É láudano. Já ouviu falar?

– Sim, senhora.

Enquanto voltava para a cama com toda lentidão do mundo, ela explanava com ar de superioridade, como se estivesse diante de uma sala de aula:

– Dizem que foi o médico suíço Paracelso quem preparou esta bebida pela primeira vez. Quando o fez, ele tinha outras intenções em mente – ela deixou escapar um pequeno riso maroto. – Não sei se isso é verdade, mas sei que, há muito tempo, vários médicos têm feito suas próprias composições. Esta aqui foi desenvolvida especialmente para mim...

A senhora sentou-se com a coluna ereta e segurou o vidrinho entre o polegar e o indicador, girando-o diante dos olhos:

– Eu o tomo há muito tempo. Poucas pessoas sabem disso, mas ele tem sido meu amigo tanto quanto a música tem sido a sua...

Sua voz, até então monótona e arrastada enquanto falava do láudano, voltou subitamente à energia habitual quando mudou de assunto:

– Vou bebê-lo agora. E você irá tocar. E eu espero, Violinista, que Deus fale comigo através de sua música. Espero que assim seja, para o seu próprio bem.

O músico engoliu em seco, pois sabia o que significava aquilo tudo. Como uma camponesa em uma taberna, ela virou de uma só vez o líquido grosso, deixando-o escorrer goela abaixo, sem se importar com o sabor amargo. Depois, esparramou-se na cama, fechando os olhos.

– Alguma preferência, senhora?

– Surpreenda-me!

Ele começou a tocar e, ao reconhecer a melodia do *Prelúdio* que ele escolhera, ela sorriu e disse em voz alta:

– Bach...

O mundo, então, começou a se mover diante de seus olhos fechados. As cores mudaram, ora mais vibrantes, ora mais comedidas. Embalada pela voz aguda das notas, parecia que a Baronesa iniciava uma viagem, que rompia não apenas as barreiras do espaço, mas também as do tempo. Seu corpo amoleceu, os membros transformados em uma geleia que escorria por entre os dedos, impossível de ser amparada. A cama pareceu girar como um carrossel, e a mente, durante um período indefinível, vagou obnubilada. Seu corpo flutuou até se tornar um com o vazio. Ela deleitou-se ao se sentir envolta por uma brisa suave e reconfortante, que soprava seus cabelos para trás e a conduzia pela eternidade, rumo ao espaço infinito.

Uma luz intensa, mais brilhante do que ela jamais imaginou ser possível, mais forte que o sol a pino, chicoteou seus olhos e tornou-se a única percepção de todos os seus estímulos sensoriais. Ela via a luz, mas também a tocava, cheirava, escutava e provava. Sua essência, com tudo aquilo que a compunha, amalgamou-se à luz, tornando-se parte indissociável dela, um delírio real, uma realidade ilusória, uma ilusão fragmentada, um fragmento completo. Ela era o tudo e o nada, sem explicação, compreendendo toda a verdade, sem entender o que compreendia. A luz chorava uma melodia que parecia ganhar vulto, com novas notas sendo incorporadas, novas nuances, novas cores, novas tonalidades.

Súbito, a Baronesa sentiu chão sob seus pés. Foi uma sensação de novidade, como se aquela tivesse sido a primeira vez que tocava o solo. Abriu os olhos e se maravilhou. Sua visão estava embaçada, mas foi se acostumando aos poucos, e sem saber se era sonho, delírio, realidade ou imaginação, vislumbrou o que parecia ser um pedaço do divino. Viu monstros de metal com ocupantes humanos dentro, enfileirados em ruas pavimentadas com um rígido material cinzento. Viu um mundo de luzes e sinais expostos por todos os lados, com cores vivas como as asas de borboletas. Um mundo de símbolos, que diziam tudo, sem nada significar para ela. Viu construções de vidro espelhado erguer-se tão alto no céu que poderiam espetar as estrelas, e aglomerações de pessoas que caminhavam apressadas em todas as direções, vestindo roupas alienígenas à sua percepção. A força e o vigor das efígies quase nocautearam sua consciência, que oscilou entre o temor e a curiosidade, o respeito e o desejo, até que ela fechou novamente os olhos, arrebatada pelo vento e pela luz.

Flutuou desorientada como se cavalgasse um cometa, tentando organizar os pensamentos sobre o que tinha visto, evocar o que sua memória conhecia e identificar as imagens. Quando tocou mais uma vez o chão, ela sentiu, mesmo sem abrir os olhos, a superfície lisa e gelada sob seus pés descalços. O torpor que turvava sua percepção era doce e gentil, mas, ainda assim, uma ponta de pânico e asfixia começou a subir por sua garganta, como se mãos fantasmagóricas invisíveis surgissem das trevas do esquecimento e estrangulassem seu pescoço.

Ela abriu os olhos e se viu cercada por máquinas movidas de forma serializada por pessoas. E eram tubos e conexões nos quais, aparentemente, as pessoas se exercitavam. Mas não havia homens, apenas mulheres. Ela reconheceu roldanas nas máquinas, que brilhavam como aço polido, e assustou-se ao ver que a ampla sala onde estava era folheada de espelhos, os mais nítidos e perfeitos que já vira em toda sua vida. O chão era preto e emborrachado, o teto alto, repleto de luzes brancas aprisionadas dentro de tubos compridos colocados em paralelo. Havia caixas na parede exibindo imagens ininterruptas, como se outra vida acontecesse lá dentro, e as máquinas faziam um barulho infernal, todas juntas, obrigando as pessoas a correr sem sair do lugar.

As mulheres eram diferentes de tudo o que ela já vira antes. Suas fisionomias eram decididas e firmes, a epítome da independência, como se não precisassem de homens para viver, como se tivessem atingido tudo o que sempre quiseram e buscaram. Alheias à presença da Baronesa, vestiam roupas de um tecido estranho colado ao corpo, que delineava formas como ela jamais vira antes. Vestiam calças curtas com as pernas escandalosamente de fora, e também deixavam à mostra a barriga e os ombros. As mulheres corriam e andavam sem sair do lugar, e pareciam felizes com aquilo, com seus cabelos presos por rabos de cavalo vultosos, braços e pernas tonificados e pele saudável. Cercada por suas iguais, graúdas, que a fizeram ter um estranho senso de inferioridade, a Baronesa engoliu em seco e se sacudiu, invadida por uma sensação de pânico. Ela apertou a cabeça e esbravejou com força, pedindo para sair dali, ainda que não houvesse voz em sua garganta.

E ela saiu!

Novas imagens viu, conduzida por um reino de fogo espesso; mulheres vestindo roupas de gala e presidindo reuniões, com homens mais velhos como subalternos; mulheres morando sozinhas em casas luxuosas, com tapetes grossos, cores berrantes, jardins floridos e sofás de couro. Mulheres finas caminhando em passarelas ante os olhos atônitos de milhares de pessoas, os cabelos belos como seda e olhos de lince. O mundo parecia comprimir-se à sua volta, turvando seu senso, sua percepção, sussurrando um coral ensurdecedor em seus ouvidos, que gritava, cantava, segredava e promovia brindes à sua insignificância. A melodia conversava com ela, cochichando o que ela não queria ouvir, obrigando-a a ver o que não queria ver, mostrando lampejos, vislumbres do porvir, do que nunca aconteceu, do que sempre esteve lá.

Ela viu pássaros gigantes de metal com pessoas em sua barriga apinhando o céu, viu comunicação instantânea por todos os lados do globo por meio de pequenas caixinhas reluzentes, viu formas impensadas de entretenimento em salas escuras e encouraçados colossais cruzando os mares. Viu escadas que se moviam levando pessoas para cima e para baixo, trens que se moviam à velocidade do som, e locais enormes que mantinham alimentos gelados e frescos. A tudo isso e muito mais testemunhou, e sentiu o terror do desespero chacoalhando suas entranhas como uma coisa viva, devorando-a por dentro.

Mas de tudo o que viu, de todos os horrores e maravilhas, incluindo o que não compreendeu, o que esqueceu, o que regurgitou, as mulheres eram o que não saíam de sua mente. Nenhuma delas. Mesmo a mais gorda. A mais magra. A mais esfarrapada. Até as idosas pareciam mais belas, mais formosas, mais ajustadas, mais... Mais do que ela jamais fora. Talvez mais do que jamais poderia ser!

A Baronesa abriu os olhos. Estava deitada em sua cama, assolada por um sentimento de sufocação. O Violinista tocava com certa dificuldade, tremendo de frio. A mulher não saberia dizer quanto tempo estivera fora, sedada pelos efeitos do láudano e embalada pelas notas brandas do violino. Quase em um arco reflexo, levantou-se, afoita, e gritou:

— Pare agora!

O músico estremeceu diante do súbito berro e ficou estático, aguardando para ver o que ela faria a seguir. O mundo ainda era o mesmo para a Baronesa, mas, de maneiras que ela não conseguia explicar, estava diferente. Parecia menos... idealizado. Ela não sabia quanto tempo se passara. Não tinha sequer certeza sobre o que tinha visto ou sonhado. Se travara contato com anjos ou demônios. Se a força de sua imaginação a arrebatara, ou se, de fato, tivera uma revelação. Simplesmente carregava resquícios de uma sensação muito ruim, um desamparo áspero e viscoso, e não demorou para que a maior parte das imagens se apagasse de sua mente. Porém, a sensação persistia.

– Saia, Violinista!

Ela não precisou repetir. Com uma enorme sensação de alívio, ele curvou-se, recolheu as roupas e saiu, deixando-a só.

A Baronesa foi até o espelho e olhou para si mesma. Pela primeira vez, seus olhos não a enganavam sobre aquilo que via. Dizem que o tempo consome impiedosa, indiscriminadamente, a marcha dos homens, e o máximo que um ser humano pode aspirar na vida é tentar um pingo de relevância. É agarrar-se desesperadamente aos modismos de sua época, ao seu pensamento, às suas idiossincrasias e manias e, de alguma forma, construir algo. É criar um nome que não será esquecido. Que não será apagado. É agarrar-se ao lugar que conquistou no mundo e desejar com todas as forças não ser ultrapassado pelo furacão que é o progresso, o futuro, a novidade. Pois não é isso que causa a tristeza dos velhos? O sentimento de irrelevância, que se confunde com a sensação de missão cumprida? Não é isso que nos mata, afinal, quando, deitados, enfermos, em um leito, fechamos os olhos, sentindo dissabor pelo presente e saudosismo pelo passado? Quando vemos que ficamos para trás, que fomos ultrapassados, entes descartáveis, feios, desatualizados, e vivemos os dias de outrora na memória, fisgados pelas garras da impotência? Dignos de pena! Não é a mais cruel de todas as verdades a percepção integral de que você já foi, e não tornará a ser?

Tendo visto faces da beleza que jamais imaginou possível, a Baronesa tomou consciência de todas as coisas que decidiu acreditar, todas as mentiras que contava a si mesma. Esvaziada por dentro, só o que sobrou foi amargura!

Ela tirou a roupa, despindo-se completamente dos vestidos pesados que escondiam sua silhueta. As roupas foram caindo no chão, empapadas como vermes contorcidos. O reflexo que a encarava de volta, desvestido de ilusões e idealizações, era o de uma velha acre.

Ela olhou para a pele de sua barriga, pálida e enrugada, com dobras e vincos, flácida e estriada. Olhou para suas pernas peludas, as canelas e coxas sem vida, as unhas dos pés malfeitas. Sentiu asco do cheiro azedo que subiu de suas partes privadas. Tocou seus seios, que pareciam caídas mamas de vacas, e notou o quanto sua musculatura era frágil na linha dos ombros e braços. Viu que seu pescoço tinha pregas, e seus olhos eram fundos e aparentavam cansaço. Não havia vivacidade em seus lábios, e os dentes eram amarelados e cariados. Lá no fundo da alma, ela sentiu uma dor profunda como jamais experimentara antes.

– Espelho... Oh, espelho... Se pudesse falar...

Até mesmo sua voz soava como algo ultrapassado. Ela tinha a sensação de ter entrado no olho do furacão, rodopiado como folhas secas, e sido regurgitada. Um bagaço cuspido pela natureza.

Roída.

Enferrujada.

Apodrecida.

Súbito, uma raiva sem precedentes apossou-se do seu corpo. Aquela mulher que gozava de uma completa falta de remorso, de culpa, de vergonha e de todos os freios mentais que permitem aos homens viver socialmente, cuja raiva profunda era um animal selvagem que espreitava de seu centro e atacava pelas beiradas; aquela mulher que passou a enxergar a tudo e a todos que a cercavam como uma oportunidade em potencial para descarregar seus demônios interiores; aquela mulher que não tinha amigos, mas servos; não tinha confidentes, mas vítimas; não tinha ninguém que a amasse, mas pessoas que amavam seu ouro; aquela mulher gritou com a força de um tufão! Cravou suas unhas na própria barriga e, sem dó, rasgou a pele lentamente, deixando um rastro de cinco trilhas vermelhas por onde passou. E cavou novamente sobre a mesma ferida, e mais uma vez, e outra, até abrir um rasgo de profundidade considerável na própria pele. Sufocada e intoxicada por suas visões, repetia sem parar a mesma ação, rosnando contra si própria refletida no espelho:

– Espelho, maldito espelho, este é o corpo da mais bela? – e se arranhou mais uma vez. – Esta barriga sarnenta, gordurenta e sebosa é a barriga mais bela? Esta que vos fala é a mais bela das feias em um mundo de beleza que a voz de Deus me mostrou! – continuou se arranhando, abrindo chagas largas na própria carne, dessa vez nos braços e coxas. – Este é o semblante de uma ninfa? – suas garras cravaram-se no rosto, acima da sobrancelha, e laceraram. – Este é o rosto mais belo desta terra? –

cada vez mais violenta, ela continuou a se macular, rasgando a carne, autoflagelando-se até suas forças acabarem.

Ela golpeou com os punhos cerrados o espelho até conseguir trincá-lo e, com uma pequena lasca, continuou o trabalho que suas unhas não conseguiam realizar. Por fim, vencida pela exaustão, deixou-se cair no chão frio, nua, coberta de sangue da cabeça aos pés, e encolheu-se na posição fetal. Suas ilusões expostas sem dó ou piedade. A comiseração passou a ser sua nova tutora. Lá, estirada no solo como uma mendiga despida de tudo, até mesmo da própria dignidade, ela ficou horas a fio.

XIX

Tudo aconteceu mais rápido do que deveria. Incrivelmente, nada foi feito às pressas, mas de forma ordenada e meticulosa. A verdade é que a situação era severa e não havia tempo a perder. Ainda assim, o planejamento era importante.

Os mineradores foram até a cidade e, em menos de uma semana, juntaram um contingente de trinta e oito homens. Mercenários ferozes que ostentavam cicatrizes de batalhas, vivência em campo e lealdade a nada além de ouro. Não eram jovens idealistas, mas guerreiros experientes que já tinham visto e vivido de tudo. Alguns tinham estado a vida inteira em conflitos, e seus únicos momentos de diversão eram as noites de folga, regadas a vinho e prostitutas.

Os mineradores também compraram armas, armaduras e cavalos, e exauriram todo o ouro que conseguiram na mina até a última pepita. A Estalajadeira cedeu quatro servos para ajudar no transporte, sem cobrar um centavo sequer, e forneceu suprimentos para a viagem. Branca de Neve passava a maior parte do tempo fechada dentro da cabana e dos próprios pensamentos, meditando. Encerrada em sua mente, parecia estar o tempo todo visualizando o que aconteceria dali para a frente, e todas as medidas que tomaria. Um dia após o outro, sua fragilidade ia sendo deixada para trás. De suas entranhas, uma mulher emergia – um novo modelo de mulher. Era como se ela estivesse abandonando quem tinha sido, desprendendo-se do passado, gerando um novo futuro. Sua voz era firme e austera, a voz de uma amazona, embora jamais tivesse segurado uma espada na vida. Sua postura corporal, altiva e decidida, inspirava segurança a todos que a cercavam, incluindo os mineradores. Ela demonstrava a maior parte do tempo pensamento lógico e estratégico, não era impulsiva, nem se deixava levar pelas emoções. Seu olhar estampava a graça da justiça e a sabedoria dos escolásticos.

Em uma manhã qualquer, quando os pássaros começavam a cantar, anunciando que em poucos minutos os raios do sol iniciariam seu espetáculo diário no horizonte, Minerador Líder lhe disse:

— É hora de ir, senhora.

Surpresa com o tom que usou, ela retrucou:

— Não sou sua senhora. Você é meu amigo.

— A senhora era nossa senhorita até ontem. A partir de hoje, é nossa líder. Suas ações devem dizer mais que palavras. Sua segurança e perspicácia são nosso norte. Inabalável como rocha, maleável como água. Seu novo título, quer queira, quer não, importa. A partir de hoje, somos todos seus vassalos, e assim seremos até o momento em que a senhora for dona de tudo o que é seu por direito. Nós a seguiremos, senhora. Seguiremos com a devoção da causa e a bênção de Deus!

Ele ajoelhou-se como um cavaleiro faria diante de um rei. A garota fez um carinho gentil no rosto bruto do homem e beijou-o na testa:

— Jamais esquecerei o que fizeram por mim, Minerador Líder.

O toque dela era como o de um anjo. Era possível não se apaixonar por tal criatura?

— Eu sei, senhora. Seu coração é maior que o próprio mundo.

— Agora, levante-se, e não torne a dobrar seus joelhos para mim!

Eles deixaram a cabana e juntaram-se ao grupo que os aguardava do lado de fora, para nunca mais retornar. Os períodos felizes vividos lá dentro seriam, daquele momento em diante, apenas memórias. Como em um sonho.

Nem todos tinham cavalos. Parte dos suprimentos era puxada por um carro de bois, o que atrasava bastante o avanço da caravana, mas Branca não parecia ter pressa. Apenas seguia no ritmo que tinha de ser seguido. A cada passo, a Bavária estava mais próxima, assim como a justiça. Sim, pois ela não pensava em vingança, apenas justiça. Era, decerto, uma alma iluminada.

Ao seu lado, cavalgava a filha do Caçador, cujos pensamentos eram inteiramente devotados ao Bom Guarda, o homem que salvara sua vida.

Do outro, o Minerador Líder, que nutria sentimentos muito mais profundos por aquela garota que outrora fora cuspida do interior da floresta para dentro de sua moradia e, em um ano, amadurecera e se tornara uma mulher valorosa e decidida.

Branca cavalgava como uma aristocrata, com o queixo erguido e peito estufado. Os dias de garota assustada tinham ficado para trás. Ela relutou em aceitar seu destino, mas agora não havia mais espaço para indecisões ou arrependimentos. O caminho era retilíneo, e as cartas estavam sobre a mesa. Não havia volta.

Foi um trajeto duro; a distância, em sua maior parte, percorrida em silêncio. Após uma semana e meia, eles acamparam a apenas alguns quilômetros de distância do castelo. Durante a noite, Branca convocou uma mesa-redonda, com todos os mineradores, a filha do Caçador e o filho da Estalajadeira.

— Qual o tamanho da guarda da Baronesa? — perguntou Minerador Líder.

— Em torno de noventa homens. Talvez cem. Mas o turno é dividido em três — respondeu a moça.

— Isso não fará diferença — disse Minerador Ruivo. — Assim que formos vistos apontando no horizonte, o alarme será soado e todas as sentinelas que estiverem de folga serão convocadas. Ao chegarmos até o castelo, enfrentaremos um contingente completo.

— Isso se eles decidirem lutar — intrometeu-se a filha do Caçador.

Minerador Moreno sorriu e fez um carinho gentil na cabeça dela:

— Criança. Ainda alimenta falsas esperanças? Embora tenha sido ajudada por um homem de bom coração, é improvável que eles respondam à voz da razão. Haverá luta, sim, e será sangrenta, pois homem nenhum fica impassível ao ver suas cercanias invadidas.

— Precisamos evitar isto de alguma maneira! — grunhiu Minerador Alto. — Ninguém se beneficia com um conflito de grandes proporções. E não podemos nos dar ao luxo de baixas.

— Não foi justamente isto que viemos fazer aqui? Tomar o castelo de Branca de Neve? Essa conversa não levará a lugar algum... — protestou com energia Minerador Moreno.

— Sim, viemos tomar o castelo. Mas isto não precisa ser feito com derramamento de sangue. Não mesmo, se puder ser evitado — opinou o outro.

— Tudo bem — Minerador Líder tomou a dianteira novamente. — Vamos definir a estratégia. Temos quase a metade do número de homens que eles. Fora isso, eles terão a vantagem de lutar a partir de um plano elevado. Por mais que não seja uma guarda de elite, com homens gordos e acostumados à boa vida, pois certamente a maioria jamais teve um confronto de verdade, ainda assim a vantagem está do lado de lá. Um confronto direto não será favorável para nós.

— É suicídio! — resmungou Minerador Alto.

— Se empreendermos um ataque direto, com certeza. Uma saraivada de flechas será o bastante para nos eliminar...

De repente, o filho da Estalajadeira perguntou para Branca:

— Como é a geografia do castelo?

— O castelo completo?

— Sim!

— Ao sair da floresta, passaremos por uma área aberta com algumas dezenas de ruas e casas de camponeses. Elas ficam na periferia do castelo, ligadas por vias de terra batida, e o circundam por todos os lados. Há muros altos cercando-o, uma entrada principal e outra lateral, que leva à cozinha. A área total do castelo tem centenas de metros. Na extremidade oeste ficam os pomares, e na leste...

— Quantas pessoas vivem no castelo? — o jovem a interrompeu.

— Duas centenas. Talvez mais.

Vendo aonde aquilo tudo poderia chegar, Minerador Líder intrometeu-se, acompanhando a linha de raciocínio:

— E se, antes do ataque, nos apresentássemos aos servos? Sua presença é mais que suficiente para conclamar alianças com a vassalagem. Poderíamos chegar aos portões do palácio com um número grande de criados ao nosso lado...

Branca protestou:

— E fazer o quê? Essas pessoas não são guerreiros, mas gente do povo. Arriscaria a vida deles?

— A vida deles já está em risco. Quantos já morreram nas mãos da Baronesa? E, além do mais, não peço que lutem. Mas penso que a presença deles pode despertar algum bom-senso na guarda.

— Faz sentido – completou Minerador Gordo. – Se houver um massacre geral, simplesmente não existirá castelo onde trabalhar ao término de tudo...

— Acha que isto os faria pensar duas vezes? Pois trate de rever suas ideias. Esses homens só respeitam a cor do ouro!– respondeu Branca, desiludida.

— Ouro que eles continuarão recebendo se jurarem fidelidade a você!

— Você os tem em demasiada alta conta! – Branca ralhou.

— Perdoe-me a franqueza, mas é possível que a senhora esteja subestimando o valor da guarda – disse a filha do Caçador. – O que a leva a pensar que todos os guardas são crápulas? Talvez alguns sejam, mas duvido que meu Bom Guarda seja a única maçã boa em uma cesta podre.

— A menina tem razão – apoiou Minerador Gordo.

— Não seria prudente obter apoio deles antes de tentar qualquer investida?– ela concluiu.

Fez-se um pequeno silêncio. Aquilo realmente parecia fazer mais sentido que qualquer outra ação elencada até então. Ao menos, era uma chance de desviar o rumo certo da batalha. Por fim, após refletir, Branca falou:

— Estamos acampados longe da vista deles. Não há como avistarem nossas fogueiras. Então, não sabem de nossa vinda. Filha do Caçador, sua missão é simples. Pegue nosso melhor cavalo e cavalgue até o castelo de meu pai. Entre em segredo. Espalhe nossa palavra aos servos. Depois, busque o Bom Guarda que a favoreceu, converse com ele e exponha nossos planos. Se houver outros que pensem como ele, esta é a hora de revelá-los. Acha que pode fazer isso?

— Sim, senhora!

— Enviarei uma escolta de três homens para protegê-la...

— Não, senhora. Três homens não farão diferença se a guarda atacar. Além do mais, eu sei onde ficam todos os postos de observação. Não terei dificuldades em entrar e sair do castelo sem ser vista.

— Que assim seja – respondeu Branca. Então, dirigiu-se a todos os demais:

— Esta não será a hora da nossa ruína. Temos a justiça ao nosso lado, e lutaremos sob as asas de Deus. Preparem-se, pois amanhã toda essa trama chegará ao fim.

A filha do Caçador montou um belo corcel malhado e cavalgou três horas sem parar, até chegar aos subúrbios do castelo. Ela foi diretamente ao lar do Cozinheiro e bateu à porta, tirando-o da cama de pijamas. Em poucas palavras contou à família o que estava para acontecer, e recebeu o apoio imediato que esperava. Na calada da noite, a palavra foi passada adiante com incrível velocidade e, em pouco tempo, toda a comunidade estava ciente de que a verdadeira herdeira do Barão chegaria para reclamar o que era seu por direito. E eles dariam o apoio que fosse necessário!

Os guardas dormitavam em uma pequena moradia separada de todo o resto, uma casa austera e temida que ficava no topo de um outeiro, entre o castelo e o pomar. Possuída por um sentimento de destemor, após ter certeza de que os servos se amotinavam como marujos descontentes, ela foi até lá com a coragem como armadura e bateu à porta, sendo atendida por um oficial sonolento, cansado das atividades desempenhadas ao longo do dia. Ao reconhecê-la, o homem rosnou:

— O que a senhorita faz aqui? Há um prêmio por sua cabeça.

— Onde está o Bom Guarda? — ela perguntou, ignorando a ameaça presente na frase dele. — Preciso vê-lo imediatamente.

— Ele está de serviço esta noite. É responsável pelo quarto da Baronesa. Não há como chegar até ele.

— Tenho que falar com ele com urgência, não importa onde esteja.

Após sacudir a sonolência da mente, o homem grunhiu:

— A senhorita, durante esses meses que passou fora, parece ter esquecido como as coisas funcionam por aqui. Você não falará com ninguém além de nossa senhora, moça. E eu receberei grandes congratulações por prendê-la!

— Tolo. Não enxerga o que acontece no seio de nosso próprio lar? Banhos de sangue incessantes causados por uma déspota que assassinou o verdadeiro senhor deste lugar!

— Contenha a língua, menina.

— Ou o quê?

A audácia nas palavras da filha do Caçador o surpreendeu. Disposto a quebrar o comportamento dela, o homem tocou na ferida que julgava aberta:

— Você tem ideia do que foi feito do seu pai? Claro que não, afinal, debandou para longe. Eu mesmo arrastei o corpo dele e joguei em uma vala.

Ou, ao menos o pouco que restou, para servir de carniça aos pássaros. E por cima foi jogado o corpo de sua mãe, que sofreu agruras mil. Este é o destino de todos que traem a confiança de nossa senhora: uma vala comum!

– Ela só tem o poder que vocês lhe dão. Que nós todos lhe damos – a filha do Caçador respondeu com energia.

– Ainda assim é o poder dela, e não cabe a nós tomá-lo!

– Não mais! O que ela tem não é seu por direito, e dela será tomado, com ou sem o apoio de vocês!

Os olhos da garota faiscaram com tamanha intensidade que o guarda relutou. Ele sabia o que tinha de ser feito. A fugitiva deveria ser presa naquele instante e levada à presença da Baronesa, sem mais conversa fiada. As circunstâncias de sua fuga seriam investigadas e, quaisquer que fossem os resultados, ele próprio receberia uma recompensa polpuda por sua fidelidade. Isto é o que tinha de ser feito, e, por Deus, ele o faria! Mas, então, por que hesitava? Seria pela inexplicável aparição de uma alma condenada à morte clamando por justiça? O que haveria por trás daquele ato suicida? Ou seria porque ele e alguns outros como ele estavam cansados do antro de horrores que a fortaleza do Barão se transformara? Ou seria simplesmente por causa da determinação inabalável nos olhos da filha do Caçador, que não esmorecia nem diante de sua iminente prisão? Não havia loucura em seu rosto, não havia medo ou receio. Ela estava confiante!

– Garota, se tem algo a me dizer, é melhor começar a falar agora.

– Sangue! Haverá sangue pela manhã quando a verdadeira senhora deste lugar retornar!

– Do que está falando, menina? Você enlouqueceu?

– Não. Quem enlouqueceu foi a usurpadora deste castelo, que transformou o lar de centenas em um inferno. Mas, com a graça de Deus, recebemos uma maneira de triunfar sobre todo o mal.

O guarda segurou-a pelos ombros e, perdendo a paciência com as frases de efeito rebuscadas, a sacudiu:

– Chega de enigmas! Fale agora o que deve ser dito ou encare seu calvário!

– Branca de Neve vive! E está a poucas horas daqui com quarenta homens armados, prontos para atacar pela manhã. Ela quer saber se vocês honrarão sua devoção a ela como legítima herdeira, ou se permanecerão fieis à usurpadora!

Se o homem não fosse orgulhoso, ele teria caído sentado de susto.
— O que você falou, menina?
— Não tornarei a repetir, pois sei que me entendeu muito bem. Busco, contudo, uma resposta direta. E o ônus da decisão cairá sobre seus ombros, para o bem ou para o mal! Diga-me, portanto, prevalecerá o sangue ou a razão?

Pela manhã, a filha do Caçador ainda não havia retornado.

Branca de Neve suspirou, sem saber se sua estratégia pleiteando um golpe no castelo sem uso de força havia funcionado. Porém, partiu do princípio de que algo havia dado errado. Montada em seu cavalo, colocou pela primeira vez na vida um cinto de couro com uma bainha e uma espada de aço. Era uma arma leve, fina, com corte razoável, mas boa para estocar. Diante do grupo que a observava com reverência, como se ela fosse uma deusa descida dos céus, gritou alto, e sua voz, sempre tão doce e afável, ribombou daquela vez como um trovão:

— Deixem tudo para trás. Que os servos tomem conta dos suprimentos. Que os guerreiros cavalguem para a batalha — então, ela sacou sua espada. — Eu jamais empunhei uma arma na vida. Não sei lutar, mas não me importa. Vocês estão aqui, e lutarei ao seu lado, como sua igual, nem que seja para tombar ao primeiro golpe. Lutarei pela causa e para recuperar a dignidade de um pai morto e de toda uma comunidade! Estão prontos?

O brado positivo foi uma resposta ensurdecedora!

Apontando com a arma na direção do castelo, ela gritou:
— Para a desgraça!
E a cavalgada começou.

XX

Foi a primeira vez em sua vida que a Baronesa sentiu um profundo desinteresse por tudo à sua volta. O mundo exterior era um aglomerado desagradável de sensações que causavam fadiga e desgaste. Ela perdera o apetite quase completamente, e passava grande parte de seus dias na cama, deitada, inerte, olhando para o mesmo ponto por horas a fio. Mas não naquela manhã!

A Baronesa foi despertada de seu profundo sono por batidas enérgicas à porta.

– Deixe-me! Quero ficar em paz! – gritou a mulher, sem se levantar. Em outra ocasião, ela teria ido diretamente até o agitador que abalara seu sono e tomado medidas contra ele pessoalmente. Mas não agora, pois tudo o que queria era continuar deitada e ser esquecida pelo mundo.

As batidas, contudo, não cessaram. Pelo contrário, intensificaram-se. Quem quer que estivesse do outro lado, estava espancando a porta sem dó.

Ela se apoiou sobre os braços, erguendo a parte superior do corpo do colchão, e berrou:

– Mandei ir embora!

De repente, a porta se abriu e o Bom Guarda entrou. Surpreendida pela audácia dele, a mulher deu um pulo da cama, pondo-se em pé em um instante, e gritou por detrás do véu preto que cobria seu rosto:

– O que significa isto? Maldito, juro que será açoitado por esta insolência!

O homem curvou a cabeça ligeiramente e se desculpou:

– Senhora, peço desculpas pela minha audácia, mas este assunto não pode esperar!

Era a primeira vez que ele via a austera mulher daquela maneira, vestindo uma roupa preta que cobria cada centímetro de sua pele, da cabeça aos pés. Logo ela, que adorava usar vestidos que deixavam seus ombros expostos, e ela tinha ombros tão bonitos, e, não raro, deixava os longos cabelos soltos. Para completar o quadro enlutado, a Baronesa trazia um chapéu negro sem abas, que modelava perfeitamente sua cabeça e estava um pouco amassado, por ela estar deitada com ele, e, da parte frontal da peça, um véu também preto cobria o rosto. Ela vestia luvas pretas com lantejoulas, e sapatos sem salto. O homem observou aquelas vestes e achou singular. Teria ela dormido daquele jeito? Ou teria passado a noite em claro? Tais perguntas jamais teriam uma resposta, e, de qualquer modo, havia assuntos mais urgentes a tratar.

Percebendo a urgência na voz do Bom Guarda, a Baronesa fez um sinal quase imperceptível para que ele se explicasse:

– Um grupo de homens armados, senhora, foi avistado pela torre de vigília apontando em nossa direção.

– Há quanto tempo?

– Poucos minutos. Ainda estão na linha do horizonte.

– Isso nos dá em torno de vinte minutos até que cheguem aqui. Quantos guardas estão de plantão?

— Por volta de quarenta.

A Baronesa levou o dedo indicador à boca e olhou para o vazio, pensativa e preocupada:

— Que tipo de homens são? Com quem estamos lidando?

— Mercenários! — ele respondeu, com um traço de repugnância. — O pior tipo de homem que existe!

— O melhor tipo de homem — ela reiterou. — O homem confiável que vende seu preço em ouro! E, felizmente, isso eu tenho de sobra. É possível que não haja, afinal, o que temer...

Bom Guarda não ousou contrariá-la, mas considerou aquela mera hipótese um completo absurdo. Enfim, há muito desistira de tentar entender a mulher. Ficou aguardando em silêncio para ver quais seriam suas ordens. Ela nada falou, supostamente refletindo sobre qual estratégia usaria. Por fim, sua face se iluminou, indicando que havia tomado uma decisão:

— Mantenha a guarda inteira de prontidão. Envie um emissário até os guardas que estão de folga e peça que se aprontem também. Ninguém vai ao encontro deles, a menos que os mercenários adentrem o castelo. Assim que tiverem avançado o suficiente, fechem-nos por trás. Se resistirem, atacaremos de ambos os lados.

Bom Guarda pareceu atônito com o plano:

— Mas senhora... Não sabemos o que esses homens querem... E se, ao chegar, eles começarem a saquear? A destruir e queimar as casas dos servos e a tomar suas esposas? Se partirmos agora, poderemos bloqueá-los antes que inocentes sejam ameaçados.

— Você não é pago para pensar, Bom Guarda. Parece-me que, de forma recorrente e muito irritante, você está sempre contestando aquilo que digo.

— Minha senhora, eu não...

— Cale-se! — ela gritou. — E cumpra! Que morram os peões! Para que mais eles servem, além de defender sua rainha?

Ele abaixou a cabeça. Naquele instante, percebeu que odiava aquela mulher com todas as suas forças. Não foi quando ela matou o Caçador que tomou consciência de tal sentimento, nem diante de todas as atrocidades que teve de testemunhar em silêncio sepulcral nos últimos meses, sob o risco de ter sua própria garganta no fio de uma espada. Não; foi exatamente ali, naquele breve instante!

Ela prosseguiu:

— Flanqueie os invasores. Se quiserem luta, serão massacrados. Se não atacarem, aguardaremos. Quero ver que uso posso fazer de homens assim. E se alguns moradores perderem suas posses, bem, é um risco que teremos que correr. Agora, parta imediatamente. E avise a todos que acompanharei a ação pessoalmente do topo do castelo!

— Sim, senhora!

Com uma reverência, Bom Guarda saiu. Isolado por um turno completo de serviço, nada sabia das tramoias que haviam sido elaboradas na calada da noite pela mulher que amava, uma órfã cuja vida salvara. Com ares de capitão, ele deu ordens para que todos no castelo assumissem seus postos e se preparassem para a batalha. A seguir, enviou um mensageiro, pedindo que os guardas de folga fossem acionados e aguardassem um sinal vindo do castelo para atacar os invasores por trás, caso fosse necessário. O sinal, previamente acordado para situações de risco, porém jamais utilizado, era uma flecha incendiária isolada atirada na direção sudeste. A seguir, tendo tomado as atitudes cabíveis e necessárias, Bom Guarda subiu para o paredão norte e juntou-se a uma fileira de doze conterrâneos, todos munidos de lanças, arcos e espadas, com um ou outro mosquete.

— Senhor — disse um jovem sentinela, estremecendo de medo ao ver se aproximar cada vez mais um grupo selvagem e heterogêneo de homens que mais pareciam feras. — O que faremos?

Bom Guarda arrumou a indumentária do companheiro, que estava amarrotada, e falou:

— Agora, nós lutamos!

O outro olhou novamente para a visão e para o Bom Guarda. Repetiu a ação mais duas vezes, tremendo como vara verde, e então gaguejou:

— Senhor... Mas eu... Eu nunca... Senhor, eu...

Bom Guarda apoiou a mão no músculo trapézio do companheiro, disfarçando um sorriso de confiança, e rosnou:

— Agora, nós lutamos!

Súbito, um rugido de cabos de lanças batendo no chão vindo do lado oposto ao que os dois estavam, onde havia uma ponte que interligava a amurada externa com o interior da construção, anunciou que a Baronesa estava presente. Bom Guarda observou sua senhora chegar utilizando as mesmas vestes de antes, porém com uma inusitada armadura de aço polido cobrindo o tórax. A armadura, feita sob medida para alguém do sexo feminino, tinha dois lobos desenhados no estômago e duas protuberâncias para os seios. Era algo tão assustador quanto sensual.

Ela veio caminhando como uma guerreira, como se tivesse experiência em batalha, como um general prestes a liderar seus homens em campo, com a cabeça erguida, peito inchado e olhos fixos no horizonte, tal qual um predador estudando sua presa. Ao se aproximar do Bom Guarda, que fez uma pequena reverência, ela perguntou o óbvio, indicando com a cabeça a direção:

— São eles?

— Sim, senhora.

— Não parece grande coisa.

O que ela enxergava era um grupo mirrado de homens, ainda a alguns quilômetros de distância das cercanias do castelo, com silhuetas deformadas pelo sol que se erguia atrás dos seus corpos. Nem todos vinham a cavalo, e, na verdade, nem todos pareciam talhados para a guerra. Bom Guarda a corrigiu:

— Não se deixe enganar, senhora. Homens assim só pensam em uma coisa: tomar o que desejam! Todo cuidado é pouco, mesmo quando temos superioridade numérica.

— Se quiserem tomar algo aqui, eles terão que conquistar com sangue. E não será o nosso!

O vento soprava levemente o véu negro da Baronesa e produzia um ruído surdo, como um apito para cães. Ela pensou um pouco na situação, e depois completou:

— Bom Guarda, acha que aquele grupo pequeno, por mais feroz que seja, pode fazer frente às altas muralhas do castelo? Ou a uma guarda treinada? Como poderiam esses homens invadir meu lar? Eles não passam de arruaceiros que vagam de vilarejo em vilarejo tomando o que querem de quem não pode se defender. Mas vamos ser realistas e práticos. Se decidirmos rechaçá-los com firmeza, serão obrigados a correr com os rabos entre as pernas já na primeira saraivada de flechas.

— Sim, senhora — Bom Guarda tentava não se deixar contaminar pelo otimismo de uma mulher que jamais vira uma luta antes. Ele era cauteloso e temia surpresas desagradáveis. Mas, principalmente, temia pelas vidas de todos que viviam nos arredores do castelo. Se aqueles homens chegassem retalhando cada camponês que vissem pela frente, seria um massacre inevitável. Ela concluiu:

— De qualquer modo, não se preocupe. Vamos aguardar para ver o que fazem! Quem sabe apenas busquem emprego ou uma oportunidade. E Deus sabe que posso fazer bom uso de homens assim.

Bom Guarda sentiu um arrepio diante daquele comentário. Aquilo era a última coisa que o castelo do Barão precisava!

— O resto da guarda foi avisada?

— Eles estão de prontidão, senhora!

— Excelente!

A trama desenvolvia-se de forma paralela, desnudando um evento após o outro com velocidade lenta, porém constante. Branca de Neve vinha cavalgando seu belo corcel bem no meio do grupo. Ela não queria ser vista antes da hora pela Baronesa, porém, a verdade é que, àquela altura, já não importava mais. Todas as cartas estavam na mesa, bem como as apostas. Os mineradores haviam instruído os mercenários: nada de saques! Nada de ataques a civis! O povo não devia ser ferido em hipótese alguma. E uma batalha só começaria se o outro lado tomasse a iniciativa. Não demorou muito para que chegassem à divisa do castelo, e o cuidado foi redobrado. Aquele era um lugar de traição, perfídia e falsidade, e ainda não era possível dizer se a estratégia de Branca para atrair metade da guarda havia sido bem-sucedida.

Do alto da muralha, Bom Guarda examinou o corpo de guerreiros vindo em sua direção com binóculos para avaliar melhor o que enfrentariam, e, de repente, quase caiu de costas. Seus olhos o estavam enganando ou ele realmente viu o que viu? Não raro, as pessoas enxergam coisas que não estão lá e isso estremece suas mentes, mas, nesse caso, não havia como se enganar, não havia erro! Lá estava ela, sua senhorita, filha legítima do Barão. Ela trajava vestes diferentes, tinha uma postura diferente, mas não havia dúvidas, não existiam duas mulheres no mundo detentoras de tamanha beleza!

Ela vinha cavalgando em meio ao grupo, ereta e confiante, de forma que ele jamais havia visto antes, com espada à cintura, manoplas grossas cobrindo as mãos outrora macias e sedosas, cabelos presos e botas altas, em vez de sapatos. A visão de uma santa guerreira! A libertação havia, afinal, chegado conforme o previsto? Teria sua madona, a filha do Caçador, cumprido a missão com êxito?

— O que você vê, Bom Guarda?

A pergunta da Baronesa tirou-o de um súbito transe, enquanto vasculhava o grupo em todas as direções, na tentativa de encontrar a filha do

Caçador entre os invasores. Se Branca de Neve viera, também sua amada tinha de estar entre eles. Tinha de estar!

— Eles estão mal armados, senhora, porém, parecem homens perigosos — disse ele, disfarçando a situação.

— Por que "'mal armados"?

— Mesmo daqui posso dizer que suas espadas são velhas, enferrujadas e quebradiças. Os escudos estão rachados e poucos vestem armaduras. São homens desgastados, alguns até velhos, que já viram batalhas demais, e que talvez só aguardem por um lugar que lhes dê uma chance para assentar.

— Você realmente acha isso?

— Não é impossível, senhora!

A Baronesa nada disse, mas forçou seus olhos, como se isso pudesse, de alguma forma, fazê-la enxergar mais longe. Uma leve decepção se abateu em seu peito. No fundo, percebeu que a possibilidade de não existir luta a desagradava. Aquele seria o final ideal para uma epopeia que começara há muitos meses. A catarse. A apoteose. Uma vitória sem sangue, àquela altura, não seria uma vitória. Percebeu, com o incidente, que brevemente até mesmo se esquecera de sua enteada.

Pedindo licença sob uma desculpa qualquer, o homem criou uma brecha para sair da presença de sua senhora (ainda entretida com o que via) e desceu até o andar de baixo. O ar faltava-lhe, como se um súcubo invisível estivesse ao seu lado, respirando todo o oxigênio que deveria ser seu por direito, deixando o ambiente rarefeito. Seu coração estava disparado, bombeando sangue para as veias a uma velocidade inacreditável. O que fazer? Como lidar com aquela nova e inusitada situação? Não demoraria muito para o grupo estar ao alcance das flechas. E se a Baronesa ordenasse que uma saraivada fosse atirada? Tudo estaria perdido! Ele não queria sequer pensar nessa hipótese, mas as opções eram poucas, e diminuíam a cada passo dado na direção da fortaleza.

Ele colou as costas na parede de pedra e fechou os olhos por um instante. Mil coisas passavam por sua cabeça, e qualquer que fosse a hipótese traçada, nada parecia funcionar. Como poderia evitar que tudo aquilo se transformasse em um banho de sangue? De repente, ele estremeceu ao escutar a Baronesa gritar seu nome:

— Bom Guarda, Bom Guarda... Onde você se meteu? Venha aqui imediatamente!

Ele deu um murro na parede e rosnou consigo mesmo. Que relação súbita de dependência era aquela que a mulher desenvolvera com ele recentemente? Ele não era um oficial condecorado; não passava de um soldado comum! Por que tantos turnos fazendo a vigília do quarto da mulher? Por que aquela intimidade bizarra e repressora? Novas perguntas que jamais teriam resposta!

Como a mulher não parava de gritar, ele, sem opção, subiu rapidamente para a paliçada e encontrou-a rodopiando de um lado para o outro. Ela estava contrariada com algo que tinha visto e, ao olhar para as cercanias, ele entendeu o motivo.

Os servos haviam saído de suas casas e se colocado diante da turba. Mas o que deveria ter sido um massacre, ganhou contornos diferentes. A ação foi tão rápida que parecia até combinada! Mercenários e servos confraternizaram com brevidade e, agora, quase duzentas pessoas, entre homens, mulheres e adolescentes, haviam se juntado ao grupo de invasores e caminhavam com eles em direção ao castelo. Somente as crianças haviam ficado em seus lares.

— Não! Não! Não! — resmungava repetidamente a Baronesa com as mãos na cabeça. Todos olhavam para a mulher, aguardando seu comando, incertos sobre o que fazer. Súbito, tomada por um de seus tradicionais lampejos de ódio que obedecem muito mais aos impulsos do que ao raciocínio, ela gritou:

— Matem! Matem todos! Abram os malditos portões e massacrem até o último homem que estiver vindo para cá!

Bom Guarda arregalou os olhos:

— Senhora... O portão... Não podemos...

Ela esbofeteou o rosto do homem e falou:

— Cale-se, vagabundo. Quem deu permissão para que falasse em minha presença? — e então, dirigindo-se a um colega dele, prosseguiu: — Prendam esse traidor desgraçado!

A ordem veio como uma tremenda surpresa para todos.

— Prendê-lo? Mas, minha senhora, ele...

— Eu sou a senhora deste castelo! Minha palavra é lei! Prenda o maldito! Quanto ao resto de vocês, juntem tudo o que tiverem e podem descer. Quero o sangue daqueles homens! E quero em campo; não atirando flechas daqui de cima! Hoje ficará claro o que acontece com todo aquele que ousa me desafiar!

Finalmente a adrenalina corria em suas veias, fazendo-a sentir-se viva e disposta novamente. A adrenalina da batalha; uma sensação nova era esta. O sangue iria correr, sim, certamente iria. Não haveria rendições ou conversa. Ela não sabia o que estava acontecendo, ou qual era a relação entre os mercenários e seus criados, mas quando o sol se pusesse naquela tarde, sua certeza era a de que ele deitaria em um horizonte carmesim.

O colega do Bom Soldado segurou-o pelas costas, travando ambos os braços, e sussurrou sutilmente em seu ouvido:

— Não resista.

E enquanto ele era levado, conduzido para fora das vistas da Baronesa, um pelotão de quarenta homens se aglomerava em frente ao enorme portão de folha de madeira, deixando a paliçada praticamente desprotegida. Eles tremiam, pois a maior parte nunca havia entrado em combate real e não sabia como seria cravar sua arma no corpo de outra pessoa (ou pior, ter o próprio corpo perfurado).

— Senhores — gritou um oficial sênior. — Se esta é a hora de morrer, vamos morrer com honra. O primeiro homem que recuar eu mesmo mato!

A seguir, os portões foram abertos e o grupo saiu de forma desengonçada. Os invasores estavam dentro da linha de alcance da vista e, com um brado, os dois grupos correram na direção um do outro. Branca de Neve apontou com sua espada e berrou, mesmo não tendo sido ouvida pela maioria:

— Poupem o máximo de gente possível!

E foi assim que ocorreu a mais inusitada batalha que as crônicas já registraram. Em um espaço de poucas centenas de metros quadrados, à frente de um castelo usurpado, às costas de um vilarejo dilapidado, mercenários, mineradores, criados e sentinelas entraram em um confronto de vida e morte, sem que ninguém conseguisse identificar com clareza quem era o inimigo. E em meio ao clangor de armas, uma donzela lutava para recuperar o que era seu.

No tumulto, espadas se chocavam contra arados e forcas, punhais ganhavam espaços que espadas não conseguiam, golpeando nas juntas das armaduras, e elmos salvavam crânios duros de ser rachados ao meio por clavas e martelos. Não demorou para o sangue espirrar!

Em meio à batalha, uma figura a cavalo distribuía ordens e comandava a estratégia, evitando que seus homens, que nunca tinham lutado juntos, se dispersassem. Sua atuação era tão intensa que chamou a atenção da própria Baronesa, que, do topo da muralha, assistia a tudo como se estivesse no camarote de um teatro. De longe, ela jamais reconheceria a figura de sua enteada, mas embora aquele "cavaleiro" fosse desajeitado no manuseio de uma arma, dava para perceber que era "ele" quem ditava as ordens para todos.

Os mineradores lutaram como leões. Suas habilidades superavam até mesmo as dos mercenários que haviam contratado. O que teria acontecido no passado deles para que se tornassem guerreiros tão ferozes? E se eram tão habilidosos, por que haviam abandonado o caminho da espada para ganhar a vida escavando minérios? Muitas perguntas que ficariam para outro amanhã. Naquele momento, só o que havia era a luta desenfreada e o desejo de vitória. Os sete manejavam as espadas com facilidade, como se nada pesassem, como se fossem gravetos, refletindo os golpes lentos dos guardas e devolvendo contra-ataques ferozes e rápidos. Ao perceber que seus homens estavam sendo derrotados, a Baronesa gritou para uma das poucas sentinelas que tinham ficado na paliçada:

— Dispare o sinal! Dispare agora!

Uma única flecha foi cuspida para o alto, desaparecendo nas nuvens.

A Baronesa voltou-se para o campo de batalha ansiosa, e não demorou muito para ver o último grupo de guardas surgir por detrás dos invasores, quase todos cavalgando largos corcéis.

Ao vê-los, Branca gritou:

— Protejam a retaguarda. Protejam a retaguarda!

A maior parte da retaguarda, contudo, era composta pelos servos do castelo, que, em sua maioria, não estava cem por cento envolvida na batalha, deixando o conflito mais sangrento para os guardas e mercenários. Eles aplicavam golpes e lutavam das extremidades para o centro, fazendo número, mas, ao verem a chegada de novos elementos, um possante medo invadiu seus corpos. Surpreendidos no fogo cruzado, aquilo corria o risco de se tornar um massacre.

Branca de Neve tentava desesperadamente fazer seus homens perceberem que estavam sendo cercados, mas, então, algo fantástico aconteceu. Ela viu a filha do Caçador cavalgando ao lado do guarda que vinha à frente do grupo e, à medida que se aproximava dela, o líder do novo grupo, em vez de se envolver na batalha diretamente, ergueu a mão direita, indicando para os servos que não lutariam, e gritou:

— Parem com essa loucura agora, em nome do Barão!

Sua voz pareceu um ciclone, correndo por toda a extensão do campo. Os que estavam próximo a ele foram os primeiros a parar. Ele deu outro grito, e depois mais um, até que todos os envolvidos na peleja foram contaminados pelo comando de baixar armas, e simplesmente pararam de lutar. Todos olhavam para ele intrigados.

— Não. Traição! — rosnou a Baronesa do alto, e então berrou para os guardas: — Malditos, acabem com eles. Por que pararam?

Havia uma grande confusão imperando. O homem que gritara com tamanha imponência era o oficial superior do castelo, o mais velho e respeitado. Porém, lá estava ele, desobedecendo a uma ordem direta da própria Baronesa. Percebendo a hesitação de seus homens diante do estranho momento, ele avisou:

— Quem mover um único dedo daqui por diante terá de se entender comigo!

— Seus animais! Animais malditos! A alma de todos irá arder no inferno...

A Baronesa continuou a destilar veneno do alto, mas, então, disse algo que balançou os homens, tão habituados a seguir ordens quanto apaixonados pelo ouro que recebiam:

— Dobrarei o pagamento daquele que trouxer a cabeça do comandante em uma bandeja!

De repente, uma voz que até então não havia se pronunciado se ergueu do meio da massa, gritando:

— Não prefere o coração dele? Ou seus pulmões? Ou seu fígado? Dessa forma você pode assá-los, salgar e comer.

Todos que estavam ao redor fizeram um "oh" de admiração diante da visão de uma mulher que removia um pequeno e delicado elmo, que até então ocultara suas feições durante a luta e, ao mesmo tempo, a protegera de eventuais golpes. Por debaixo da carapaça surgia a visão inesquecível da criatura mais linda que qualquer um deles jamais tinha visto!

O chefe da guarda falou:

— Curvem-se, bastardos, pois é sua senhora que retorna do exílio para tomar de volta aquilo que é seu por direito.

Os criados foram os primeiros a dobrar os joelhos na lama gosmenta e suja de sangue, mal acreditando ser verdade aquilo que viam. Os mineradores seguiram o exemplo, assim como os mercenários. Aquilo não era prerrogativa de um nobre. Normalmente, tamanha reverência só era dedicada a reis e rainhas, mas o momento foi solene, mágico e de tal completude que não foi possível evitar. Logo, todos os guardas caíram de joelhos diante daquela figura montada; um anjo que voltara da morte para libertá-los da tirania de uma déspota.

A Baronesa, ao testemunhar a cena, disse em um sibilo:
— Não... Não pode ser!

Então, uma lâmina fria vinda por detrás tocou seu pescoço. Ela olhou lentamente para o lado e viu o Bom Guarda, livre de sua suposta prisão, sorrir para ela, dizendo:
— Baronesa, a senhora está sob minha custódia. Por favor, não se mexa.

Epílogo

O controle do castelo foi tomado com relativa facilidade, e as perdas acabaram sendo muito menores do que o esperado. A estratégia havia funcionado e o conflito cessou sem tomar grandes proporções. O povo saudou a volta de sua senhorita, agora sua senhora, com uma ensurdecedora ovação; forquilhas, foices e arados erguidos para o alto. As sentinelas chegaram a temer por seu destino, mas nenhum guarda foi penalizado pelo que tinha ocorrido durante a ausência de Branca de Neve. Em seu coração generoso, ela justificou que estavam cumprindo suas funções e o dever, preferindo não acreditar que algum deles se colocara verdadeiramente ao lado da Baronesa. Na sua visão, os abusos que porventura tivessem cometido se deram em parte por causa da contaminação ocorrida pela presença de sua madrasta, que de outra forma jamais teriam ocorrido. Porém, a jovem senhora alertou diante de todo o corpo reunido, com uma voz afiada e as sobrancelhas erguidas:
— Mas saibam que não tolerarei abusos. Vocês voltarão a ser um corpo de guarda justo e sério, cuja função é proteger o castelo como um todo, ou arcarão com as consequências de seus atos. Estamos entendidos?

Mais de oitenta homens bateram as lanças no chão simultaneamente e gritaram com inflexão militar na voz:
— Sim, senhora!

E ela sabia que, mesmo se houvesse qualquer dissidência, esta seria suprimida.

Havia muito a ser feito. Tantas coisas erradas, tanto sofrimento para ser remediado, tantos lares destruídos. Casas podiam ser reconstruídas, mas o que fazer em relação aos que perderam seus entes queridos? A dor que vem de dentro não é tão facilmente curada, e a única coisa que ela podia fazer para amenizar o sofrimento de muitos era ser o mais justa possível.

A fortuna de sua família havia sido usada exaustivamente, porém, a Baronesa não tivera tempo suficiente para dilapidar por completo os bens de seu marido. Com o tempo, Branca de Neve poderia reconstruir o patrimônio que herdara, e, se agisse com inteligência e correção, quem sabe poderia até ampliá-lo. Quanto ao futuro do seu lar, ela não estava preocupada. Tinha o apoio do povo, e sete bons conselheiros para ajudá-la.

Não havia forma de agradecer o suficiente o que os mineradores haviam feito por ela. Em uma audiência privada, os sete estavam alinhados diante da moça que, sentada em uma bela cadeira ornamentada, discursou:

— Estou em débito com vocês por toda minha vida. Encontrei entre pessoas simples e acolhedoras os homens mais justos, honrados e fiéis que já conheci. Minha casa, de agora em diante, é a casa de vocês. O que tenho também lhes pertence. Digam o que querem e lhes será concedido!

Minerador Ruivo se adiantou e falou:

— Minha senhora. Para mim, a vida foi dura. Batalhas demais, esforço demais, tumultos demais. Tudo o que quero é viver o tempo que me resta de forma tranquila e pacífica, como jardineiro oficial do castelo.

Ela sorriu:

— Que assim seja!

A seguir, Minerador Alto tomou a palavra:

— Pouco sei fazer além de trabalhos braçais. Mas, em minha juventude, fui um guerreiro sem igual. Ficaria satisfeito em ser o chefe de sua Guarda!

— Considere feito, meu senhor. Estou certa de que nossa segurança jamais voltará a ser um problema.

Foi a vez do Minerador Moreno, que perguntou:

— Senhora, tenho jeito com finanças, e muito me aprazaria ser o tesoureiro do castelo.

— Esperava que me dissesse isso, amigo. Precisarei muito de sua ajuda acima de todo o resto. Juntos, fortaleceremos este lar mais uma vez e prosperaremos até o infinito! E você, Minerador Gordo?

Ao ser chamado, o homem se adiantou e disse:

— Senhora, minha silhueta já está cansada. Os anos pesam em minhas juntas desgastadas e de pouca valia serei daqui para a frente. A não ser que a senhora me permita administrar os serviços gerais do castelo. Sei que não a decepcionarei, senhora.

— Disto tenho certeza. Seu pedido será atendido. E é muito bem-vindo.

O próximo foi o Minerador Silencioso:

— Senhora, amo-a com todo meu coração, porém, sou ainda jovem, e tenho muito a fazer da vida. Meu principal desejo é conhecer o mundo e ver coisas que ainda não vi...

— Então, seja meu diplomata — interrompeu-o a moça. — E trate de assuntos e relacionamentos com o exterior. Viaje em meu nome e estabeleça conexões com outras casas, em outros reinos!

Satisfeito, o homem sorriu e concordou. Minerador Manco deu um passo à frente e falou:

— Meu desejo, senhora, é cuidar dos animais. Eles são gentis conosco, não nos machucam com palavras feias, não fingem nos amar e depois traem vergonhosamente. Gostaria de ser responsável pela estrebaria, pelo canil, e até pelo galinheiro.

— Tem certeza de que esta é sua vontade?

— Nada me faria mais feliz.

— Que assim seja, então.

Por fim, Minerador Líder saiu da linha da fila:

— Minha senhora, o que tenho a lhe pedir talvez não seja tão fácil de ser concedido quanto os pedidos de meus irmãos de armas.

— Se estiver em meu poder agraciá-lo, Minerador Líder, assim o farei. A dívida que tenho com você é profunda — respondeu a moça. Ele prosseguiu, desprezando toda a cautela.

— Pois bem — resmungou o homem, meio sem jeito. — Preciso que seja minha senhora. Só assim serei feliz de fato!

Ela deu uma risada sem graça:

— Mas eu já sou sua senhora, grato amigo.

— Eu sei. E lhe sou grato por este laço de amizade. Mas, que Deus me perdoe, não sou bom com esse tipo de coisa, e palavras me faltam, mas o que quero expressar é meu desejo para que seja minha única senhora, e que eu seja seu único senhor. E que nossos sejam todos os laços. Quero que aceite ser minha esposa.

Os outros olharam boquiabertos para ele, e Branca de Neve, surpresa, não sabia o que dizer. O coração palpitava, engalfinhando-se em uma luta inesperada com o raciocínio. Gaguejou:

— Minerador Líder... Eu não sei... Não sei o que dizer...

— Diga o que estiver em seu coração, senhora. Mas não precisa ser agora. Reconheço que minha proposta foi súbita, e a única coisa que espero é que pense nela com carinho e consideração. Seja qual for sua decisão, para sempre contará com minha amizade e lealdade. Temos sua permissão para sermos dispensados?

Ela concedeu, tentando esconder que tremia. Não muito, apenas um pouco, como se estivesse eletrizada. Os sete saíram da câmara após uma reverência em conjunto, deixando-a sozinha.

Quase tudo estava acertado. A filha do Caçador se casaria com o Bom Guarda já naquele final de semana, e ela própria teria o privilégio de presidir a cerimônia. A união simbolizaria o início daquela nova era para o castelo do Barão. Os servos da Estalajadeira foram enviados de volta, levando as boas notícias e os cumprimentos de Branca, mas seu filho decidiu ficar por uns tempos e conhecer melhor a Bavária e tudo o que ela tinha a oferecer. Os mercenários foram pagos e dispensados, mas os que quiseram ficar também foram bem-vindos, afinal, havia uma carência de mão de obra no castelo. Restava ainda, porém, uma questão a ser resolvida. Quer dizer, com a proposta feita pelo Minerador Líder, agora havia duas. Ela decidiu se preocupar, naquele momento, apenas com a primeira.

Levantou-se e saiu da câmara, passando pelo corredor, onde disse a um guarda que protegia a entrada ao lado da porta:

— Irei vê-la agora!

— Pois não, senhora.

Alguns ligeiros preparativos foram feitos e Branca de Neve foi escoltada por três sentinelas até o quarto da Baronesa. Ela entrou sem ser anunciada, e o que viu a encheu de tristeza.

Lá dentro, em meio ao amontoado de mobília antiga, peças de tortura medievais adquiridas sabe-se lá como e um fustigante cheiro adocicado de sangue coagulado, havia uma velha retorcida e amargurada, deitada na cama, olhando para o teto. Uma mera sombra de uma ideia que jamais se confirmou. Uma projeção de um desejo frustrado. Um mero sonho que estava prestes a ser esquecido.

Branca de Neve puxou uma cadeira e sentou-se de frente para sua madrasta. A outra se recompôs da melhor forma que conseguiu, mas permaneceu quieta. Austera, a garota indagou:

— Por quê?

Silêncio.

Foi só o que obteve em um primeiro momento.

— É isso? Após tudo o que fez, somente o que obterei de você será seu silêncio? Não acha que me deve, sequer, uma explicação?

A Baronesa respondeu, e sua voz soou frágil e quebradiça, longe do que fora no passado.:

— Alguma resposta a satisfaria de fato?

Refletindo brevemente, Branca respondeu:

— Não. Pensando bem, acho que não.

A mulher usava vestes pretas, e o véu continuava cobrindo-lhe o rosto. O quarto estava escuro e sombrio; o dormitório perfeito para demônios, bruxos e vampiros.

— O que será feito de mim agora? Enforcamento em praça pública?

— Você acha que é o que merece?

— O que acho foi aquilo que fiz! Nem mais, nem menos! Não pensei algo e realizei algo mais. Mantive-me fiel aos meus instintos. O que importa nesta anedota não é minha opinião, mas a sua!

Branca apertou os lábios. Vendo aquela figura patética diante de si, toda a raiva que vinha sentindo nos últimos tempos se diluiu, e tornava-se, agora, dó. Mas não o bastante para que demonstrasse clemência.

— Você não será morta. Mas estará confinada dentro do seu quarto até o final de seus dias. As janelas e portas serão fechadas, e o único contato que terá com o mundo exterior será uma abertura por onde receberá alimentos e outras necessidades. Está claro?

A Baronesa não respondeu, mas sorriu internamente, balançando a cabeça levemente em sinal de negativa. Era uma ironia do destino que ela sofresse da mesma punição de sua antepassada, a quem tanto admirava. Branca se levantou e fez uma última pergunta:

— Não tornaremos a nos falar. Tem algo mais que queira dizer?

— Sim. Eu vi o que não deveria ter visto. Mas isso não muda o fato de que vi. Vi o porvir. Eu não sou a mais bela. Mas você também não é!

Ignorante de toda obsessão pela beleza de que a mulher padecia, Branca de Neve atribuiu a frase a algum delírio sem sentido, e não deu maior atenção, mas apenas respondeu:

— Beleza é uma experiência. Depende de quem a vê. É uma pena que jamais tenha aprendido o que é tão básico.

Então, deu as costas e saiu, deixando para trás não apenas o quarto escuro habitado por uma velha amarga, mas também, e principalmente, uma fatia de sua vida. Ela era uma nova mulher. Nada mais havia daquela criança assustada, temendo a noite e o que vem com ela, envergonhada de falar de igual para igual com os outros, limitada pela pouca sabedoria e experiência de vida. Ela era, agora, uma verdadeira senhora.

Um pensamento percorreu-lhe a mente e a deixou feliz, como se tivesse sido implantado externamente em seu cérebro. Não parecia ter nascido lá, mas algo experimentado que oscilava entre um processo cognitivo e espiritual.

— Sim, uma senhora... — ela falou em voz alta. — E não precisa toda senhora de seu próprio senhor?

Branca afastou-se; pensamentos ocupados por um homem bruto e barbado. No escuro, a Baronesa removeu seu véu, revelando o rosto deformado para ninguém além de si própria, e olhou para o espelho. Uma lágrima escorreu do seu rosto.

Só o que via era sua imagem refletida.

Referências bibliográficas

Bettelheim, Bruno. *A psicanálise dos contos de fadas.* São Paulo: Paz e Terra, 2007.

Darnton, Robert. *O grande massacre de gatos.* São Paulo: Paz e Terra, 2011.

Encyclopaedia Britannica. Londres: William Benton, 1962.

Franz, Marie Louise Von. *A interpretação dos contos de fadas.* São Paulo: Paulus Editora, 1981.

Este livro foi impresso em papel Polen
Bold 70 g pela Prol Gráfica